Ch

CW00419652

Sloven

Peter Herrity
Ivana Petric Lasnik

Chambers

First published by Chambers Harrap Publishers Ltd 2008
7 Hopetoun Crescent
Edinburgh EH7 4AY

ISBN 978 0550 10354 3

Publishing Manager
Anna Stevenson

Prepress
Nicolas Échallier
Helen C Hucker

Designed and typeset by Chambers Harrap Publishers, Edinburgh
Printed and bound by Tien Wah Press (PTE.) LTD., Singapore
Illustrations : Art Explosion

CONTENTS

INTRODUCTION

This brand new English-Slovene phrasebook from Chambers is ideal for anyone wishing to try out their foreign language skills while travelling abroad. The information is practical and clearly presented, helping you to overcome the language barrier and mix with the locals.

Each section features a list of useful words and a selection of common phrases: some of these you will read or hear, while others will help you to express yourself. The simple phonetic transcription system, specifically designed for English speakers, ensures that you will always make yourself understood.

The book also includes a mini bilingual dictionary of around 5000 words, so that more adventurous users can build on the basic structures and engage in more complex conversations.

Concise information on local culture and customs is provided, along with practical tips to save you time. After all, you're on holiday – time to relax and enjoy yourself! There is also a food and drink glossary to help you make sense of menus, and ensure that you don't miss out on any of the national or regional specialities.

Remember that any effort you make will be appreciated. So don't be shy – have a go!

ABBREVIATIONS USED IN THIS BOOK

acc	accusative		*loc*	locative
adj	adjective		*m*	masculine
adv	adverb		*n*	noun
dat	dative		*nom*	nominative
f	feminine		*pl*	plural
gen	genitive		*prep*	preposition
instr	instrumental		*sing*	singular
inv	invariable		*v*	verb

PRONUNCIATION

For every sentence written in Slovene in this guide you will find the pronunciation written in italics. Most sounds have approximate English equivalents.

Slovene spelling is largely phonetic and every letter is pronounced. There is no final silent -e as there is in English words like dat**e**, bik**e** etc. Some letters can have more than one pronunciation (see the table below). The sounds of any two languages are never quite identical but if you follow the guidelines below you should have no difficulty in pronouncing the transliterations and making yourself understood.

Note that the **bold** text indicates that you should stress that syllable.

Alphabet

There are 25 letters in the Slovene alphabet: 20 consonants and 5 vowels. Three consonants are written with a superscript mark, **č**, **š** and **ž**.

Letter	Name of letter	Pronunciation	Transcription
a	*ah*	**a** as in f**a**ther	*a*
b	*be*	**b** as in **b**at	*b*
		p as in ca**p**	*p*
c	*tse*	**ts** as in ha**ts**	*ts*
č	*che*	**ch** as in **ch**air	*ch*
d	*de*	**d** as in **d**og	*d*
		t as in ca**t**	*t*
e	*e*	**e** as in b**e**d	*e*
		ei as in **ei**ght	*eh*
		u as in **u**pon	*uh*
f	*ef*	**f** as in **f**ine	*f*
g	*ge*	**g** as in **g**et	*g*
		k as in cor**k**	*k*
h	*ha*	**h** as in **h**ope	*h*
i	*ee*	**e** as in sh**e**	*ee*

j	ye	**y** as in **y**es	y
k	ka	**k** as in **k**ey	k
l	el	**l** as in **l**eap	l
		w as in **w**ish	w
m	em	**m** as in **m**y	m
n	en	**n** as in **n**et	n
o	oh	**o** as in g**o**t	o
		o as in c**o**rn	oh
p	pe	**p** as in **p**et	p
r	er	rolled, like a Scottish **r**	rr
s	es	**s** as in **s**in	s
š	esh	**sh** as in **sh**op	sh
t	te	**t** as in **t**in	t
u	oo	**oo** as in f**oo**d	oo
v	ve	**v** as in **v**ery	v
		w as in **w**ish	w
		oo in m**oo**n	oo
z	ze	**z** as in **z**oo	z
		s as in **s**o	s
ž	zhe	**s** as in trea**s**ure	zh
		sh as in **sh**ip	sh

Note that the letters **q**, **w**, **x** and **y** are also sometimes found in Slovene but only in foreign names, eg Quebec, Windsor, New York.

EVERYDAY CONVERSATION

When meeting someone for the first time it is normal to shake hands; on subsequent occasions Slovenes shake hands or simply nod when they meet. People kiss each other on the cheek only on special occasions or when meeting again after a long time.

Slovene has several ways of saying the word "you", which indicate number and gender differences. The basic equivalents are **ti** (singular), which is the familiar form used when addressing relatives, children and intimate friends, and **vi** which is both the masculine plural form and also the polite form used to address a single person with whom you are not on familiar terms. It is advisable to use the **vi** form until the other person suggests using **ti**. In both spoken and written language the **vi** and **ti** are normally omitted, since the verb form will indicate the person being addressed (eg **kako ste?** *how are you?* for the **vi** form and **kako si?** for the **ti** form).

The basics

bye	adijo *adeeyo*
excuse me	oprostite *oprosteete*
good afternoon	dober dan *dohbuhrr dan*
goodbye	nasvidenje *nasveedenye*
good evening	dober večer *dohbuhrr vechehrr*
good morning	dobro jutro *dobro yootrro*
goodnight	lahko noč *lahko nohch*
hello	pozdravljeni *pozdrrawlyenee*
hi	živjo *zheewyo*
no	ne *ne*

7

OK	v redu *oo rrehdoo*
pardon	oprostite *oprrosteete*
please	prosim *prrohseem*
thanks, thank you	hvala *hvala*
yes	ja *ya*

Expressing yourself

I'd like ...
rad *(m)*/rada *(f)* bi ...
rrad/rrada bee ...

we'd like ...
radi bi ...
rradee bee ...

do you want ...?
a želite ...?
a zheleete ...?

do you have ...?
a imate ...?
a eemate ...?

is there a ...?
a je tam ... ?
a ye tam ...?

are there any ...?
a so tam ...?
a so tam ...?

how ...?
kako ...?
kakoh ...?

why ...?
zakaj ...?
zakay ...?

when ...?
kdaj ...?
gday ...?

what ...?
kaj ...?
kay ...?

where is ...?
kje je ...?
kyeh ye ...?

where are ...?
kje so ...?
kyeh so ...?

how much is it?
koliko stane?
kohleeko stane?

what is it?
kaj je?
kay ye?

do you speak English?
a govorite angleško?
a govorreete anglehshko?

where are the toilets, please?
oprostite, kje je wc?
oprrosteete, kyeh ye vetseh?

how are you?
kako ste?
kakoh ste?

fine, thanks
dobro, hvala
dobrro, hvala

thanks very much
najlepša hvala
naylehpsha hvala

no, thanks
ne, hvala
ne, hvala

yes, please
ja, prosim
ya, prrohseem

you're welcome
ni za kaj
nee za kay

see you later
se vidimo
se veedeemo

I'm sorry
oprostite
oprrosteete

Understanding

brezplačno	free
izhod	exit
kajenje prepovedano	no smoking
ne …	do not …
ne dela	out of order
odprto	open
parkiranje prepovedano	no parking
pozor	attention
rezervirano	reserved
vhod	entrance
wc	toilets
zaprto	closed

tam je/tam so …
there's/there are …

dobrodošli
welcome

a lahko …?
do you mind if …?

samo trenutek, prosim
one moment, please

prosim, sedite
please take a seat

PROBLEMS UNDERSTANDING SLOVENE

Expressing yourself

pardon?
oprostite?
oprrosteete?

what?
kaj?
kay?

could you repeat that, please?
a lahko ponovite, prosim?
a lahkoh ponoveete, prrohseem?

could you speak more slowly?
a lahko govorite bolj počasi?
a lahkoh govorreete boly pochasee?

I don't understand
ne razumem
ne rrazoomem

I understand a little Slovene
razumem malo slovensko
rrazoomem malo slovehnsko

I can understand Slovene but I can't speak it
razumem slovensko, ampak ne znam govoriti
rrazoomem slovehnsko, ampak ne znam govorreetee

I hardly speak any Slovene
zelo malo govorim slovensko
zeloh malo govorreem slovehnsko

do you speak English?
a govorite angleško?
a govorreete anglehshko?

how do you say ... in Slovene?
kako se reče ... po slovensko?
kakoh se rreche ... po slovehnsko?

how do you spell it?
kako se črkuje?
kakoh se chuhrrkooye?

EVERYDAY
CONVERSATION

what's that called in Slovene?
kaj je to po slovensko?
kay ye toh po slovehnsko?

could you write it down for me?
a mi lahko napišete, prosim?
a mee lahkoh napeeshete, prrohseem?

Understanding

a razumete slovensko?
do you understand Slovene?

pomeni …
it means …

napisal vam bom
I'll write it down for you

to je vrsta …
it's a kind of …

SPEAKING ABOUT THE LANGUAGE

Expressing yourself

I learned a few words from my phrasebook
naučil *(m)*/naučila *(f)* sem se nekaj fraz iz knjige
naoocheew/naoocheela suhm se nehkay frras eez knyeege

I did a course but I've forgotten everything
učil *(m)*/učila *(f)* sem se na tečaju, ampak sem vse pozabil *(m)*/
pozabila *(f)*
*oocheew/oocheela suhm se na techayoo, ampak suhm wse pozabeew/
pozabeela*

I can just about get by
komaj razumem
kohmay rrazoomem

I hardly know two words!
poznam samo nekaj besed!
poznam samoh nehkay beseht!

I find Slovene a difficult language
slovenščina se mi zdi težek jezik
slovehnshcheena se mee zdee tezhek yezeek

I know the basics but no more than that
poznam samo osnove in nič več
poznam samoh osnove een neech vech

people speak too quickly for me
ljudje govorijo prehitro zame
lyoodyeh govorreeyo prreheetrro zame

vaša izgovorjava je dobra
you have a good accent

zelo dobro govorite slovensko
you speak very good Slovene

ASKING THE WAY

Expressing yourself

excuse me, can you tell me where the … is, please?
oprostite, a mi lahko poveste, kje je … prosim?
oprrosteete, a mee lahkoh povehste, kye ye … prrohseem?

which way is it to …?
kod se gre do …?
koht se grreh do …?

can you tell me how to get to …?
a mi lahko poveste, kako se pride do …?
a mee lahkoh povehste kakoh se prreede do …?

is there a … near here?
a je v bližini …?
a ye oo bleezheenee …?

could you show me on the map?
a mi lahko pokažete na zemljevidu?
a mee lahkoh pokazhete na zemlyeveedoo?

is there a map of the town somewhere?
a je kje zemljevid mesta?
a ye kyeh zemlyeveet mehsta?

is it far?
a je daleč?
a ye dalech?

I'm looking for …
iščem …
eeshchem …

I'm lost
izgubil *(m)*/izgubila *(f)* sem se
eezgoobeew/eezgoobeela suhm se

Understanding

sledite	follow
pojdite dol	go down
pojdite gor	go up
nadaljujte v tej smeri	keep going
levo	left
desno	right
naravnost	straight ahead
zavijte	turn

a ste peš?
are you on foot?

pet minut stran z avtom je
it's five minutes away by car

prva/druga/tretja stavba na levi strani je
it's the first/second/third building on the left

zavijte desno v krožišču
turn right at the roundabout

pri banki zavijte levo
turn left at the bank

zavijte pri naslednjem izvozu
take the next exit

ni daleč
it's not far

takoj za vogalom je
it's just round the corner

GETTING TO KNOW PEOPLE

The basics

bad	slab *slap*
beautiful	lep *lehp*
boring	dolgočasen *dowgochasuhn*
cheap	poceni *potsehnee*
expensive	drag *drrak*
good	dober *dohbuhrr*
great	odličen *odleechuhn*
interesting	zanimiv *zaneemeew*
nice	prijazen *prreeyazuhn*
not bad	ni slab *nee slap*
well	dobro *dobrro*
to hate	sovražiti *sowrrazheetee*
to like	imeti rad *eemehtee rrat*
to love	ljubiti *lyoobeetee*

INTRODUCING YOURSELF AND FINDING OUT ABOUT OTHER PEOPLE

Expressing yourself

my name's …
jaz sem …
yas suhm …

what's your name?
kako vam je ime?
kakoh vam ye eemeh?

how do you do!
kako ste?
kakoh ste?

pleased to meet you!
veseli me, da smo se spoznali!
veselee me, da smo se spoznalee!

this is my husband/my wife
to je moj mož/moja žena
toh ye moy mohzh/moya zhena

this is my partner, Karen
to je moja partnerka, Karen
toh ye moya parrtnerrka, karren

I'm English
jaz sem Anglež *(m)*/Angležinja *(f)*
yas suhm anglehsh/anglehzheenya

we're American
mi smo Američani
mee smo amerreechanee

I'm from …
sem iz …
suhm ees …

where are you from?
od kod ste?
ot koht ste?

how old are you?
koliko ste stari?
kohleeko ste starree?

I'm 22
star *(m)*/stara *(f)* sem 22 let
starr/starra suhm dvaeendvayset leht

what do you do for a living?
kaj delate?
kay dehlate?

are you a student?
a ste študent *(m)*/študentka *(f)*?
a ste shtoodent/shtoodentka?

I work
delam
dehlam

I'm studying law
študiram pravo
shtoodeerram prravo

I'm a teacher
sem učitelj *(m)*/učiteljica *(f)*
suhm oocheetely/oocheetelyeetsa

I work part-time
delam polovični delovni čas
dehlam poloveechnee dehlownee chas

I stay at home with the children
doma sem z otroki
doma suhm z otrrohkee

I work in marketing
delam v oglaševanju
dehlam oo oglashevanyoo

I'm retired
sem upokojen *(m)*/upokojena *(f)*
suhm oopokoyen/oopokoyena

I'm self-employed
sem samozaposlen *(m)*/samozaposlena *(f)*
suhm samozaposlen/samozaposlena

I have two children
imam dva otroka
eemam dva otrroka

two boys and a girl
dva fanta in eno punco
dva fanta een eno poontso

we don't have any children
nimava otrok
neemava otrrohk

a boy of five and a girl of two
pet let starega fantka in dve leti staro pučko
peht leht starrega fantka een dveh lehtee starro poonchko

have you ever been to Britain?
a ste že bili kdaj v Veliki Britaniji?
a ste zhe beelee gday oo veleekee brreetaneeyee?

Understanding

a ste iz Anglije?
are you English?

Anglijo poznam kar dobro
I know England quite well

tudi mi smo tukaj na počitnicah
we're on holiday here too

nekega dne si želim na Škotsko
I'd love to go to Scotland one day

GETTING TO
KNOW PEOPLE

TALKING ABOUT YOUR STAY

Expressing yourself

I'm here on business
tukaj sem poslovno
tookay suhm poslowno

we're on holiday
na počitnicah smo
na pocheetneetsah smo

I arrived three days ago
prišel *(m)*/prišla *(f)* sem pred tremi dnevi
prreeshew/prreeshla suhm prret trrehmee dnehvee

we've been here for a week
tukaj smo en teden
tookay smo en tehduhn

I'm only here for a long weekend
prišel *(m)*/prišla *(f)* sem samo za podaljšan vikend
prreeshew/prreeshla suhm samoh za podalyshan veekent

we're just passing through
samo potujemo skozi
samoh potooyemo skohzee

this is our first time in Slovenia
prvič smo v Sloveniji
puhrrveech smo oo slovehneeyee

we're here to celebrate our wedding anniversary
prišla sva praznovat obletnico poroke
prreeshla sva prraznovat oblehtneetso porrohke

we're on our honeymoon
sva na poročnem potovanju
sva na porrohchnem potovanyoo

we're here with friends
tukaj smo s prijatelji
tookay smo s prreeyatelyee

we're touring around
vozimo se naokrog
vohzeemo se naokrrohk

we managed to get a cheap flight
uspelo nam je dobiti poceni letalske karte
oospehlo nam ye dobeetee potsehnee letalske karrte

we're thinking about buying a house here
razmišljamo, da bi tukaj kupili hišo
rrazmeeshlyamo, da bee tookay koopeelee heesho

Understanding

prijetno bivanje
enjoy your stay!

uživajte v preostanku počitnic
enjoy the rest of your holiday!

a ste prvič v Sloveniji?
is this your first time in Slovenia?

kako dolgo boste ostali?
how long are you staying?

a vam je všeč tukaj?
do you like it here?

a ste bili v/na … ?
have you been to … ?

STAYING IN TOUCH

Expressing yourself

we should stay in touch
moramo obdržati stike
mohrramo obduhrrzhatee steeke

I'll give you my e-mail address
dal *(m)*/dala *(f)* vam bom svoj elektronski naslov
daw/dala vam bohm svohy elektrrohnskee naslow

here's my address, in case you ever come to Britain
tukaj je moj naslov, če boste kdaj prišli v Veliko Britanijo
tookay ye mohy naslow, che bohste gday prreeshlee oo veleeko brreetaneeyo

Understanding

a lahko dobim vaš naslov?
will you give me your address?

a imate elektronski naslov?
do you have an e-mail address?

vedno ste dobrodošli pri nas
you're always welcome to come and stay with us here

EXPRESSING YOUR OPINION

> **Some informal expressions**
> **dober žur!** great party!
> **dolgcajt** it's boring
> **imeli smo se super** we had a great time

Expressing yourself

I really like …
zelo mi je všeč …
zeloh mee ye wshehch …

I really liked …
zelo mi je bil všeč ...
zeloh mee ye beew wshehch …

I don't like …
ne maram …
ne marram …

I didn't like …
nisem maral (m)/marala (f) ...
neesuhm marraw/marrala …

I love …
ljubim …
lyoobeem …

I loved …
ljubil (m)/ljubila (f) sem ...
lyoobeew/lyoobeela suhm …

I would like …
rad (m)/rada (f) bi ...
rrad/rrada bee …

I would have liked …
rad (m)/rada (f) bi ...
rrad/rrada bee …

I find it …
zdi se mi ...
zdee se mee …

I found it …
zdelo se mi je ...
zdehlo se mee ye …

GETTING TO KNOW PEOPLE

19

it's lovely
čudovito je
choodoveeto ye

it was lovely
bilo je čudovito
beeloh ye choodoveeto

I agree
strinjam se
strreenyam se

I don't agree
ne strinjam se
ne strreenyam se

I don't know
ne vem
ne vehm

I don't mind
vseeno mi je
wseeno mee ye

I don't like the sound of it
ni mi všeč ideja
nee mee wshehch eedeya

it sounds interesting
zdi se zanimivo
zdee se zaneemeevo

it really annoys me
res mi gre na živce
rrehs mee grreh na zheewtse

it was boring
bilo je dolgočasno
beeloh ye dowgochasno

it's a rip-off
oderuško je
oderrooshko ye

it gets very busy at night
ponoči je velika gneča
ponochee ye veleeka gnehcha

it's too busy
prevelika gneča je
prreveleeka gnehcha ye

it's very quiet
zelo mirno je
zeloh meerrno ye

I really enjoyed myself
res sem užival *(m)*/uživala *(f)*
rrehs suhm oozheevaw/oozheevala

we had a great time
imeli smo se zelo lepo
eemehlee smo se zeloh lepoh

there was a really good atmosphere
vzdušje je bilo zelo dobro
wzdooshye ye beeloh zeloh dobrro

we met some nice people
spoznali smo nekaj zelo prijetnih ljudi
spoznalee smo nehkay zeloh prreeyehtneeh lyoodee

we found a great hotel
našli smo odličen hotel
nashlee smo odleechuhn hotehl

Understanding

a vam je všeč …?
do you like …?

a ste uživali?
did you enjoy yourselves?

priporočam vam …
I recommend …

ni preveč turistov
there aren't too many tourists

ne pojdite tja ob vikendih, gneča je prevelika
don't go at the weekend, it's too busy

malo je precenjeno
it's a bit overrated

morali bi obiskati …
you should go to …

območje je čudovito
it's a lovely area

TALKING ABOUT THE WEATHER

Some informal expressions

lije kot iz škafa it's pouring with rain
zebe me kot psa I'm freezing

Expressing yourself

have you seen the weather forecast for tomorrow?
a ste videli vremensko napoved za jutri?
a steevedelee wrremehnsko napoved za yootrree?

it's going to be nice
lepo bo
lepoh boh

it isn't going to be nice
ne bo lepo
ne boh lepoh

it's really hot
zelo je vroče
zeloh ye wrrohche

it gets cold at night
ponoči se ohladi
ponochee se ohladee

the weather was beautiful
vreme je bilo čudovito
wrreme ye beeloh choodoveeto

it rained a few times
nekajkrat je deževalo
nehkaykrrat ye dezhevalo

there was a thunderstorm
bila je nevihta
beela ye neveehta

it's been lovely all week
cel teden je bilo lepo
tsehw tehduhn ye beeloh lepoh

it's very humid here
zelo vlažno je tukaj
zeloh wlazhno ye tookay

we've been lucky with the weather
imeli smo srečo z vremenom
eemehlee smo srrehcho z wrremehnom

Understanding

naj bi deževalo
it's supposed to rain

napoved za preostanek tedna je dobra
they've forecast good weather for the rest of the week

jutri bo spet vroče
it will be hot again tomorrow

TRAVELLING

The basics

airport	letališče *letaleeshche*
boarding	vkrcanje *ookuhrrtsanye*
boarding card	vstopni kupon *oostohpnee koopohn*
boat	čoln *chown*
bus	avtobus *awtoboos*
bus station	avtobusna postaja *awtoboosna postaya*
bus stop	avtobusno postajališče *awtoboosno postayaleeshche*
car	avto *awto*
check-in	prijava *prreeyava*
coach	avtobus *awtoboos*
ferry	trajekt *trrayehkt*
flight	let *let*
gate	izhod *eeshot*
left-luggage (office)	izgubljeno in najdeno *eezgooblyeno een naydeno*
luggage	prtljaga *puhrrtlyaga*
map	zemljevid *zemlyeveet*, karta *karrta*
motorway	avtocesta *awtotsehsta*
passport	potni list *pohtnee leest*
plane	letalo *letalo*
platform	peron *perrohn*
railway station	železniška postaja *zhelehzneeshka postaya*
return (ticket)	povratna *powrratna*
road	cesta *tsehsta*
single (ticket)	enosmerna *enosmehrrna*
street	ulica *ooleetsa*
street map	karta mesta *karrta mehsta*
taxi	taksi *taksee*
terminal	terminal *terrmeenal*
ticket	karta *karrta*, vozovnica *vozowneetsa*
timetable	vozni red *voznee rreht*

23

token	žeton *zhetohn*
town centre	center mesta *tsentuhrr mehsta*
track	tir *teerr*
train	vlak *wlak*
to book	rezervirati *rrezervveerratee*
to check in	prijaviti se *prreeyaveetee se*
to hire	najeti *nayehtee*

Expressing yourself

where can I buy tickets?
kje lahko kupim karte?
kyeh lahkoh koopeem karrte?

a ticket to …, please
karto za …, prosim
karrto za …, prrohseem

I'd like to book a ticket
rad bi rezerviral (m)/rada bi rezervirala (f) karto
rrad bee rrezerrveerraw/rrada bee rrezerrveerrala karrto

how much is a ticket to …?
koliko stane karta za …?
kohleeko stane karrta za …?

are there any concessions for students?
a imate kakšen popust za študente?
a eemate kakshuhn popoost za shtoodente?

could I have a timetable, please?
a lahko dobim vozni red, prosim?
a lahkoh dobeem voznee rreht, prrohseem?

is there an earlier/later one?
a je kakšen prej/kasneje?
a ye kakshuhn prey/kasneye?

how long does the journey take?
kako dolgo traja potovanje?
kakoh dowgo trraya potovanye?

is this seat free?
a je prosto?
a ye prrosto?

I'm sorry, there's someone sitting there
oprostite, nekdo že sedi tukaj
oprrosteete negdoh zhe sedee tookay

Understanding

Days of the week

pon (= ponedeljek)	Monday
tor (= torek)	Tuesday
sre (= sreda)	Wednesday
čet (= četrtek)	Thursday
pet (= petek)	Friday
sob (= sobota)	Saturday
ned (= nedelja)	Sunday

ima zamudo	delayed
informacije	information
izhod	exit
karte	tickets
moški	gents
odhodi	departures
odpovedan	cancelled
povezave	connections
prihodi	arrivals
vhod	entrance
vozovnice	tickets
vstop prepovedan	no entry
wc	toilets
ženske	ladies

vse je zasedeno
everything is fully booked

BY PLANE

Slovenia's main airport (Letališče Jožeta Pučnika) is situated 16 miles from the capital Ljubljana. There are regular flights to major European cities, mostly with the Slovenian national carrier Adria Airways. Easyjet also flies to Ljubljana from London and Ryanair to Maribor. During the tourist season charter flights to popular tourist destinations across Europe are available. Connections from the airport to Ljubljana city centre by bus and taxi are very good.

Expressing yourself

where's the Easyjet check-in?
kje je prijava za Easyjet?
kyeh ye prreeyava za easyjet?

I've got an e-ticket
imam elektronsko vozovnico
eemam elektrrohnsko vozowneetso

one suitcase and one piece of hand luggage
en kovček in en kos ročne prtljage
en kowchek een en kohs rrochne puhrrtlyage

what time do we board?
kdaj je vkrcanje?
gday ye ookuhrrtsanye?

I'd like to confirm my return flight
rad bi potrdil *(m)*/rada bi potrdila *(f)* povraten let
rrad bee potuhrrdeew/rrada bee potuhrrdeela powrratuhn let

one of my suitcases is missing
pogrešam kovček
pogrrehsham kowchek

my luggage hasn't arrived
moja prtljaga ni prispela
moya puhrrtlyaga nee prreespehla

the plane was two hours late
letalo je imelo dve uri zamude
letalo ye eemehlo dveh oorree zamoode

I've missed my connection
zamudil *(m)*/zamudila *(f)* sem povezavo
zamoodeew/zamoodeela suhm povezavo

I've left something on the plane
nekaj sem pozabil *(m)*/pozabila *(f)* na letalu
nehkay suhm pozabeew/pozabeela na letaloo

I want to report the loss of my luggage
rad bi prijavil *(m)*/rada bi prijavila *(f)* izgubo prtljage
rrad bee prreeyaveew/rrada bee prreeyaveela eezgoobo puhrrtlyage

Understanding

avla za odhode	departure lounge
brezcarinska prodajalna	duty free
carina	customs
izgubljeno in najdeno	lost property
kontrola potnih listov	passport control
nič za prijaviti	nothing to declare
prijava	check-in
prijava blaga	goods to declare
prtljaga	baggage reclaim

prosimo, da ne pustite svoje prtljage brez nadzora
please do not leave your baggage unattended

prosimo počakajte v avli za odhode
please wait in the departure lounge

a želite sedeti ob oknu ali prehodu?
would you like a window seat or an aisle seat?

prestopiti morate v …
you'll have to change in …

koliko kosov prtljage imate?
how many bags do you have?

ali ste vse sami spakirali?
did you pack all your bags yourself?

ali vam je kdo dal kaj za na letalo?
has anyone given you anything to take onboard?

vaša prtljaga je pet kilogramov pretežka
your luggage is five kilos overweight

izvolite vstopni kupon
here's your boarding card

vkrcanje se bo začelo ob ...
boarding will begin at ...

prosimo, pojdite do izhoda številka ...
please proceed to gate number ...

zadnji poziv za ...
this is a final call for ...

pokličite to številko, če želite izvedeti, ali je vaša prtljaga prišla
you can call this number to check if your luggage has arrived

BY TRAIN, BUS, COACH

Slovenia has a well developed rail and bus network. The main hub is Ljubljana, which has a railway station and a bus station, and there are regular train and bus connections to all major Slovene towns. There are also several trains and buses a day departing for major European cities. It is advisable to buy tickets before boarding a train or bus, since payment on board is not encouraged and in any case you will have to pay the full fare. If you travel frequently in the same direction enquire about monthly tickets. There are some special discounts on train tickets (for people under 26, when purchasing group tickets etc), so make sure you ask if there are any before you buy tickets. On Ljubljana city buses payment can be made either in cash or using tokens (which can be bought in post offices, kiosks and some shops) but it is more expensive to use money and drivers do not give change. If travelling a lot on city buses try buying daily, weekly or monthly tickets.

Expressing yourself

what time is the next train to ...?
kdaj gre naslednji vlak za ...?
gday grreh naslehdnyee wlak za ...?

what time is the last train?
kdaj gre zadnji vlak?
gday grreh zadnyee wlak?

which platform is it for …?
kateri peron je za ...?
katehrree perrohn ye za …?

where can I catch a bus to …?
od kod gre avtobus za …?
ot kohd grreh awtoboos za ...?

does this bus/train go to …?
a ta avtobus/vlak pelje v/na ...?
a ta awtoboos/wlak pehlye oo/na …?

is this the stop for …?
a je to postaja za …?
a ye toh postaya za …?

is this where the coach leaves for …?
a od tu odpelje avtobus za …?
a ot too otpehlye awtoboos za …?

can you tell me when I need to get off?
a mi lahko poveste, kje moram izstopiti?
a mee lahkoh povehste, kyeh mohrram eesstopeetee?

I've missed my train/bus
zamudil *(m)*/zamudila *(f)* sem vlak/avtobus
zamoodeew/zamoodeela suhm wlak/awtoboos

Understanding

blagajna	ticket office
dnevna	day (ticket)
mesečna	monthly (ticket)
rezervacije	bookings
tedenska	weekly (ticket)
tiri	to the trains

postaja je nekoliko naprej na desni strani
there's a stop a bit further along on the right

točen znesek, prosim
exact money only, please

prestopiti morate v/na …
you'll have to change at …

iti morate na avtobus številka …
you need to get the number … bus

ta vlak ustavi v/na ...
this train calls at …

vlak v smeri Koper odpelje ob ... s tira številka ...
the train for Koper leaves at … from platform number …

dve postaji naprej
two stops from here

BY CAR

The best way to see the country is by car. There are several rental agencies at the international airport Letališče Jožeta Pučnika Ljubljana and in all major towns. The rental prices are very competitive (terms and conditions for renting vehicles are largely similar to those in the rest of Europe), as are the costs of petrol and road tolls. If you are stopped by the police, you must be able to show your driving licence, car registration and insurance documents. A first aid kit, spare light bulbs and a safety reflector triangle are obligatory as well as wearing seat belts in both front and back and driving with dimmed lights at all times. Two major motorways cross in Ljubljana, but be aware that some sections of motorway have not yet been built, so expect slower traffic where there is no motorway as yet and some delays where they are being built. A toll is paid for using motorways. Speed limits in urban areas are 50km/h, on regional roads 90 km/h, on fast roads 100km/h and on motorways 130 km/h. Drivers of A and B categories are allowed to have 0.5 g of alcohol per 1 kg of blood, providing that they show no changes in behaviour. The Automobile Association of Slovenia (AMZS) provides services 24 hours a day. Motorists in trouble should dial 1987 for assistance. In most city centres you have to pay for parking. Taxi services operate primarily in larger towns and in major tourist centres. A taxi meter is mandatory in taxis.

Expressing yourself

where can I find a service station?
kje je bencinska črpalka?
kyeh ye bentseenska chuhrrpalka?

lead-free petrol, please
neosvinčen bencin, prosim
neosveenchen bentseen prrohseem

how much is it per litre?
koliko stane liter?
kohleeko stane leetuhrr?

is there a garage near here?
a je v bližini avtoservis?
a ye oo bleezheenee awtoserrvees?

we got stuck in a traffic jam
obtičali smo v gneči
opteechalee smo oo gnehchee

can you help us to push the car?
a nam lahko pomagate potisniti avto?
a nam lahkoh pomagate poteesneetee awto?

the battery's dead
baterija je prazna
baterreeya ye prrazna

I've broken down
avto se mi je pokvaril
awto se mee ye pokvarreew

we've run out of petrol
zmanjkalo nam je goriva
zmanykalo nam ye gorreeva

I've got a puncture and my spare tyre is flat
počila mi je guma, rezervna pa je prazna
pohcheela mee ye gooma, rrezerrvna pa ye prrazna

we've just had an accident
pravkar smo imeli nesrečo
prrawkar smo eemehlee nesrrehcho

I've lost my car keys
izgubil *(m)*/izgubila *(f)* sem ključe od avta
eezgoobeew/eezgoobeela suhm klyooche od awta

how long will it take to repair?
kako dolgo bo trajalo popravilo?
kakoh dowgo boh trrayalo poprraveelo?

◆ Hiring a car
I'd like to hire a car for a week
rad bi najel (m)/rada bi najela (f) avto za en teden
rrad bee nayehw/rrada bee nayehla awto za en tehduhn

how much does it cost per day?
koliko stane na dan?
kohleeko stane na dan?

an automatic (car)
avto z avtomatskim menjalnikom
awto z awtomatskeem menyalneekom

do I have to fill the tank up before I return it?
a moram natočiti gorivo preden vrnem avto?
a mohrram natocheetee gorreevo prrehduhn vuhrrnem awto?

I'd like to take out comprehensive insurance
rad (m)/rada (f) bi polno zavarovanje
rrad/rrada bee pohwno zavarrovanye

◆ Getting a taxi
is there a taxi rank near here?
a je v bližini postajališče za taksije?
a ye oo bleezheenee postayaleeshche za takseeye?

I'd like to go to ...
rad bi šel (m)/rada bi šla (f) v/na ...
rrad bee shew/rrada bi shla oo/na ...

I'd like to book a taxi for 8pm
rad bi rezerviral (m)/rada bi rezervirala (f) taksi za ob osmih zvečer
rrad bee rrezerrveerraw/rrada bee rrezerrveerrala taksee za ob osmeeh zvecherr

you can drop me off here, thanks
lahko me odložite tukaj, hvala
lahkoh me odlozheete tookay, hvala

how much will it be to go to the airport?
koliko stane do letališča?
kohleeko stane do letaleeshcha?

TRAVELLING

◆ Hitchhiking

I'm going to …
grem v/na …
grrehm oo/na …

can you drop me off here?
a me lahko odložite tukaj?
a me lahkoh odlozheete tookay?

could you take me as far as …?
a me lahko odpeljete do …?
a me lahkoh otpehlyete do …?

thanks for the lift
hvala za vožnjo
hvala za vozhnyo

we hitched a lift
dobili smo prevoz
dobeelee smo prevos

Understanding

cestnina	toll
najem avtomobila	car hire
obdržite karto	keep your ticket
obvoz	diversion
parkiranje prepovedano	no parking
parkirišče	car park
parkirni listek pustite na vidnem mestu	pay and display
počasi	slow
prosto	spaces *(car park)*
zasedeno	full *(car park)*

potrebujem vaše vozniško dovoljenje, osebni dokument in kreditno kartico
I'll need your driving licence, another form of ID, proof of address and your credit card

polog znaša 200 evrov
there's a 200-euro deposit

kam greste?
where are you going?

vstopite, peljal vas bom do …
all right, get in, I'll take you as far as …

gorivo ni všteto v ceno najema vozila
rates are exclusive of petrol

**če avta ne boste vrnili s polnim rezervoarjem, bomo dodali
stroške za gorivo … za liter**
if you don't return the car with a full tank you'll be charged … per litre of
fuel

BY BOAT

Slovenia has only a small Adriatic coastline and one port, Koper. There
are also a few small resorts, the best known being Piran, Portorož and
Izola, which have marinas for private boats. During the tourist season
there are scheduled trips on the *Prince of Venice* catamaran, which runs
between Venice and Piran and Portorož.

Expressing yourself

how long is the crossing?
koliko časa traja plovba/pot?
kohleekoh chasa traya plowba/poht?

I feel seasick
imam morsko bolezen
eemam morrsko bolehzuhn

where do we board?
kje se vkrcamo?
kyeh se ookuhrrtsamo?

Understanding

ladja odpluje ob …
vozni red plovbe

ship sails at …
timetable of crossings

odhod ladje s pomola v Portorožu ob …
ship departs from Portorož pier at …

v primeru slabega vremena ladja ne bo odplula
in case of bad weather the ship will not sail

ACCOMMODATION

There are different types of accommodation available in Slovenia: hotels, apartments, hostels, campsites, private rooms, farmhouses and Alpine lodges. Hotels are graded in five categories from luxury through mid-range to budget, and are comparable to the standards elsewhere in Europe. High-season rates apply in the winter ski resorts and in the summer at the coast. Self-catering apartments graded 3 or 4 are available and are found within hotel complexes or at major resorts and spas. Campsites are well equipped and offer facilities such as shops, restaurants, pools and sports facilities. Some sites have cabins to let as well as sites for tents and motor homes. The cheapest accommodation is to be found in private guest houses, tourist farmhouses, youth hostels and mountain lodges, the latter two offering communal dormitories and bathroom facilities. Guest houses are to be found in tourist centres and, along with farms and lodges, are practically the only accommodation available in the countryside. Early reservation is essential in major tourist centres in the high season. Most towns have a tourist information centre. One should be aware of festival dates and national holidays before arrival since most shops will close completely on these days as will many restaurants. A useful website for information on all the above is **www.slovenia.info**.

The basics

apartment	apartma *aparrtma*
bath	kad *kat*
bathroom	kopalnica *kopalneetsa*
bathroom with shower	kopalnica s tušem *kopalneetsa s tooshem*
bed	postelja *pohstelya*
bed and breakfast	nočitev z zajtrkom *nocheetew z zaytrrkom*
cable television	kabelska televizija *kabuhlska televeezeeya*
campsite	kamp *kamp*

caravan	počitniška prikolica *pocheetneeshka prreekohleetsa*
cottage	koča *kohcha*
double bed	zakonska postelja *zakohnska pohstelya*
double room	dvoposteljna soba *dvohpohstelyna soba*
en-suite bathroom	soba s kopalnico *soba s kopalneetso*
family room	soba za družino *soba za drroozheeno*
flat	stanovanje *stanovanye*
full-board	poln pension *pown penzeeohn*
fully inclusive	vse je vključeno v ceno *wse ye wklyoocheno oo tsehno*
half-board	pol pension *pow penzeeohn*
hotel	hotel *hotehl*
key	ključ *klyooch*
rent	najemnina *nayemneena*
self-catering	samo namestitev, brez obrokov *samoh namesteetew, brez obrrohkow*
shower	tuš *toosh*
single bed	enojna postelja *enohyna pohstelya*
single room	enoposteljna soba *enopohstelyna soba*
tenant	stanovalec *(m)*/stanovalka *(f)* *stanovalets/stanovalka*
tent	šotor *shotorr*
toilets	wc *vetseh*
youth hostel	mladinski hotel *mladeenskee hotehl*, hostel *hostuhl*
to book	rezervirati *rrezerrveerratee*
to rent	najeti *nayehtee*
to reserve	rezervirati *rrezerrveerratee*

ACCOMMODATION

Expressing yourself

I have a reservation
imam rezervacijo
eemam rrezerrvatseeyo

the name's ...
pišem se ...
peeshem se ...

do you take credit cards?
a lahko plačam s kreditno kartico?
a lahkoh placham s krredeetno karrteetso?

Understanding

privat	private
prosto	vacancies
recepcija	reception
wc	toilets
zasedeno	full

a lahko pogledam vaš potni list, prosim?
could I see your passport, please?

izpolnite ta obrazec, prosim
could you fill in this form?

HOTELS

Expressing yourself

do you have any vacancies?
a imate kakšno prosto sobo?
a eemate kakshno prrosto sobo?

for three nights
za tri noči
za trree nochee

how much is a double room per night?
koliko stane dvoposteljna soba na noč?
kohleeko stane dvohpohstelyna soba na nohch?

I'd like to reserve a double room/a single room
rad bi rezerviral *(m)*/rada bi rezervirala *(f)* dvoposteljno/enoposteljno sobo
*rrad bee rrezerrveerraw/rrada bee rrezerrveerrala dvohpohstelyno/
enopohstelyno sobo*

would it be possible to stay an extra night?
a lahko ostanem dodatno noč?
a lahkoh ostanem dodatno nohch?

do you have any rooms available for tonight?
a imate kakšno prosto sobo za nocoj?
a eemate kakshno prrosto sobo za notsohy?

37

do you have any family rooms?
a imate kakšno sobo za družino?
a eemate kakshno sobo za drroozheeno?

would it be possible to add an extra bed?
a lahko dodate še eno posteljo?
a lahkoh dodate she eno pohstelyo?

could I see the room first?
a lahko najprej vidim sobo?
a lahkoh nayprrey veedeem sobo?

do you have anything bigger/quieter?
a imate kaj večjega/mirnejšega?
a eemate kay vehchyega/meerrneyshega?

that's fine, I'll take it
v redu, vzel (m)/vzela (f) jo bom
oo rrehdoo, wzehw/wzehla yo bohm

could you recommend any other hotels?
a mi lahko priporočite kakšen drug hotel?
a mee lahkoh prreeporrocheete kakshuhn drrook hotehl?

is breakfast included?
a je zajtrk vključen v ceno?
a ye zaytrrk wklyoochen oo tsehno?

what time do you serve breakfast?
kdaj strežete zajtrk?
gday strrehzhete zaytrrk?

is there a lift?
a imate dvigalo?
a eemate dveegalo?

is the hotel near the centre of town?
a je hotel blizu centra mesta?
a ye hotehl bleezoo tsentrra mehsta?

what time will the room be ready?
kdaj bo soba pripravljena?
gday boh soba prreeprrawlyena?

the key for room ..., please
ključ za sobo ..., prosim
klyooch za sobo ..., prrohseem

could I have an extra blanket?
a lahko dobim še eno deko?
a lahkoh dobeem she eno dehko?

the air conditioning isn't working
klimatska naprava ne deluje
kleematska naprrava ne delooye

could I book a wake-up call, please?
a lahko naročim bujenje, prosim?
a lahkoh narrocheem booyenye, prohseem?

I'd like to check out, please
rad bi se odjavil *(m)*/rada bi se odjavila *(f)*
rrad bee se odyaveew/rrada bee se odyaveela

Understanding

oprostite, vse sobe so zasedene
I'm sorry, but we're full

prosto imamo samo še enoposteljno sobo
we only have a single room available

za koliko noči?
how many nights is it for?

kako se pišete?
what's your name, please?

prijavite se lahko od poldneva dalje
check-in is from midday

odjaviti se morate pred enajsto
you have to check out before 11am

zajtrk strežemo v restavraciji med pol osmo in deveto
breakfast is served in the restaurant between 7.30 and 9.00

a želite zjutraj časopis?
would you like a newspaper in the morning?

vaša soba še ni pripravljena
your room isn't ready yet

a ste uporabili mini bar?
have you used the minibar?

prtljago lahko pustite tukaj
you can leave your bags here

YOUTH HOSTELS

Expressing yourself

do you have space for two people for tonight?
a imate prostor za dve osebi za nocoj?
a eemate prrostorr za dveh osehbee za notsohy?

we've booked two beds for three nights
rezervirali smo dve postelji za tri noči
rrezerrveerralee smo dveh pohstelyee za trree nochee

could I leave my backpack at reception?
a lahko pustim svoj nahrbtnik na recepciji?
a lahkoh poosteem svohy nahrrptneek na rretsehptseeyee?

do you have somewhere we could leave our bikes?
a lahko kje shranimo kolesa?
a lahkoh kyeh shrraneemo kolehsa?

I'll come back for it around 7 o'clock
vrnil *(m)*/vrnila *(f)* se bom ponj okoli sedmih
vrrneew/vrrneela se bohm pony okohlee sedmeeh

there's no hot water	**the sink's blocked**
ni tople vode	odtok je zamašen
nee tople vode	*ottok ye zamashen*

Understanding

a imate člansko izkaznico?
do you have a membership card?

za posteljnino je poskrbljeno
bed linen is provided

hostel se ponovno odpre ob šestih zvečer
the hostel reopens at 6pm

SELF-CATERING

Expressing yourself

we're looking for somewhere to rent near a town
radi bi najeli nekaj blizu mesta
rradee bee nayehlee nehkay bleezoo mehsta

where do we pick up/leave the keys?
kje prevzamemo/oddamo ključe?
kyeh prrewzamemo/oddamo klyooche?

is electricity included in the price?
a je elektrika všteta v ceno?
a ye elehktrreeka wshtehta oo tsehno?

are bed linen and towels provided?
a je poskrbljeno za posteljnino in brisače?
a ye poskrrblyeno za postelyneeno een brreesache?

is a car necessary?
a je treba imeti avto?
a ye trrehba eemehtee awto?

is there a pool?
a je tam bazen?
a ye tam bazehn?

is the accommodation suitable for elderly people?
a je nastanitev primerna za starejše?
a ye nastaneetew prreemehrrna za starreyshe?

where is the nearest supermarket?
kje je najbližji supermarket?
kyeh ye naybleezhyee soopuhrrmarrket?

Understanding

ob odhodu počistite za sabo
please leave the house clean and tidy after you leave

hiša je popolnoma opremljena
the house is fully furnished

vse je vključeno v ceno
everything is included in the price

v tem delu dežele resnično potrebujete avto
you really need a car in this part of the country

CAMPING

Expressing yourself

is there a campsite near here?
a je kje v bližini kamp?
a ye kyeh oo bleezheenee kamp?

how much is it a night?
koliko stane na noč?
kohleeko stane na nohch?

I'd like to book a space for a two-person tent for three nights
rad bi rezerviral *(m)*/rada bi rezervirala *(f)* prostor za šotor in dve osebi za tri noči
rrad bee rrezerrveerraw/rrada bee rrezerrveerrala prrostorr za shotorr een dveh osehbee za trree nochee

where is the shower block?
kje so tuši?
kyeh so tooshee?

can we pay, please? we were at space …
a lahko plačamo? bili smo na …
a lahkoh plachamo? beelee smo na …

Understanding

stane … na osebo na noč
it's … per person per night

če kaj potrebujete, samo povejte
if you need anything, just come and ask

EATING AND DRINKING

Slovenia has a wide variety of restaurants, coffee houses, snack bars and bars. Food is both international and traditional, the latter often influenced by the cuisines of neighbouring countries – Austria, Croatia, Hungary and Italy. Slovenes usually have breakfast (**zajtrk**) at around 7am. In hotels, breakfast is normally continental and included in the room price. Many Slovenes also have lunch (**kosilo**) towards midday and then another meal (**večerja**) in the late afternoon or in the evening. Restaurants (**restavracija, gostilna**) normally serve lunch from 12 to 3pm and dinner from 6 to 10pm, and are usually open from 10 or 11am till 10 or 11pm. A typical main meal will consist of a starter (soup or appetizer), a main course (meat or fish) served with salad, followed by a dessert and coffee (espresso, cappuccino or strong Turkish coffee). Menus may be à la carte (**jedi po naročilu**) or special fixed menus. People usually leave a tip if they are satisfied with the service. Bars, coffee houses and snack bars are open from early morning until late evening and offer fast food, sandwiches and pastries. Pizza places are also very common.

Slovene wine is produced in several regions and is of excellent quality. Well-known names are **refošk, merlot, cviček** (red wines) and **malvazija, ljutomerčan, laški rizling** (white wines). Slovenes also produce their own beers, the best-known being **Union** and **Laško**.

Credit cards are accepted in restaurants, but it is always advisable to take cash. Remember that many restaurants and so on will close on national holidays and festival days.

The basics

beer	pivo *peevo*
bill	račun *rrachoon*
black coffee	črna kava *chuhrrna kava*
bottle	steklenica *stekleneetsa*
bread	kruh *krrooh*
breakfast	zajtrk *zaytrrk*
coffee	kava *kava*

Coke®	kokakola *kohkakohla*
dessert	sladica *sladeetsa*
dinner	večerja *vechehrrya*
fruit juice	sadni sok *sadnee sohk*
lemonade	limonada *leemonada*
lunch	kosilo *koseelo*
main course	glavna jed *glawna jeht*
menu	jedilni list *yedeelnee leest*
mineral water	mineralna voda *meenerralna voda*
red wine	rdeče vino *uhrrdehche veeno*
rosé wine	rose vino *rrozeh veeno*
salad	solata *solata*
sandwich	sendvič *sehndveech*
service	postrežba *postrrehzhba*
sparkling	*(water)* z mehurčki *z mehoorrchkee;* *(wine)* peneče *penehche*
starter	predjed *prredyeht*
still *(water)*	navadna *navadna*
tea	čaj *chay*
tip	napitnina *napeetneena*
water	voda *voda*
white coffee	bela kava *behla kava*
white wine	belo vino *behlo veeno*
wine	vino *veeno*
wine list	vinska karta *veenska karrta*
to eat	jesti *yehstee*
to have breakfast	zajtrkovati *zaytuhrrkovatee*
to have dinner	večerjati *vechehrryatee*
to have lunch	kositi *kohseetee*
to order	naročiti *narrocheetee*

Expressing yourself

shall we go and have something to eat?
a gremo nekaj pojest?
a grrehmo nehkay poyehst?

do you want to go for a drink?
a gremo na pijačo?
a grrehmo na peeyacho?

can you recommend a good restaurant?
a mi lahko priporočite dobro restavracijo?
a mee lahkoh prreeporrocheete dobrro rrestawrratseeyo?

I'm not very hungry
nisem preveč lačen *(m)*/lačna *(f)*
neesuhm prrevech lachuhn/lachna

excuse me! *(to call the waiter)*
oprostite!
oprrosteete!

cheers!
na zdravje!
na zdrrawye!

that was lovely
to je bilo dobro
to ye beeloh dobrro

could you bring us an ashtray, please?
a nam lahko prinesete pepelnik, prosim?
a nam lahkoh prreenesete pepehwneek, prrohseem?

where are the toilets, please?
oprostite, kje je wc?
oprrosteete, kyeh ye vetseh?

Understanding

dostava	delivery
samopostrežna restavracija	self-service restaurant
za s sabo	takeaway

oprostite, nehali smo streči ob enajstih
I'm sorry, we stop serving at 11pm

RESERVING A TABLE

Expressing yourself

I'd like to reserve a table for tomorrow evening
rad bi rezerviral *(m)*/rada bi rezervirala *(f)* mizo za jutri zvečer
*rrad bee rrezerrveerraw/rrada bee rrezerrveerrala meezo za yootrree
zvechehrr*

for two people
za dve osebi
za dveh osehbee

around 8 o'clock
ob osmih
ob osmeeh

do you have a table available any earlier than that?
a imate kakšno mizo prosto pred tem?
a eemate kakshno meezo prrosto prret tehm?

I've reserved a table – the name's …
rezerviral *(m)*/rezervirala *(f)* sem mizo – na ime …
rrezerrveerraw/rrezerrveerrala suhm meezo – na eemeh …

Understanding

rezervirano   reserved

ob kateri uri?
for what time?

za koliko oseb?
for how many people?

vaš priimek/na katero ime?
what's the name?

za kadilce ali nekadilce?
smoking or non-smoking?

a imate rezervacijo?
do you have a reservation?

a je ta miza v kotu v redu za vas?
is this table in the corner OK for you?

žal imamo trenutno vse zasedeno
I'm afraid we're full at the moment

ORDERING FOOD

Expressing yourself

yes, we're ready to order
ja, lahko naročimo
ya, lahkoh narrocheemo

no, could you give us a few more minutes?
ne, a nam lahko daste še nekaj minut?
ne, a nam lahkoh daste she nehkay meenoot?

I'd like ...
rad *(m)*/rada *(f)* bi ...
rrad/rrada bee ...

could I have …?
a lahko dobim …?
a lahkoh dobeem …?

I'm not sure, what's "potica"?
nisem prepričan *(m)*/prepričana *(f)* kaj je to potica?
neesuhm prreprreechan/prreprreechana kay ye to poteetsa?

I'll have that
to bom
to bohm

does it come with vegetables?
a je zraven zelenjava?
a ye zrravuhn zelenyava?

what are today's specials?
katere so današnje specialitete?
katehrre so danashnye spetseeyaleetehte?

what desserts do you have?
katere sladice imate?
katehrre sladeetse eemate?

I'm allergic to nuts/wheat/seafood/citrus fruit
alergičen *(m)*/alergična *(f)* sem na oreščke/gluten/morsko hrano/
citruse
*alerrgeechuhn/alerrgeechna suhm na orrehshchke/glootehn/morrsko hrrano/
tseetrroose*

some water, please
malo vode, prosim
malo vode, prrohseem

a bottle of red/white wine
steklenico rdečega/belega vina
stekleneetso uhrrdehchega/behlega veena

that's for me
to je zame
to ye zame

this isn't what I ordered, I wanted …
nisem naročil *(m)*/naročila *(f)* tega, hotel *(m)*/hotela *(f)* sem …
neesuhm narrocheew/narrocheela tehga, hotew/hotehla suhm …

could we have some more bread, please?
a lahko dobimo še malo kruha, prosim?
a lahkoh dobeemo she malo krrooha, prrohseem?

could you bring us another jug of water, please?
a nam lahko prinesete še en vrč vode, prosim?
a nam lahkoh prreenesete she en vuhrrch vode, prrohseem?

Understanding

boste naročili?
are you ready to order?

prišel *(m)*/prišla *(f)* bom nazaj čez nekaj minut
I'll come back in a few minutes

oprostite, zmanjkalo nam je …
I'm sorry, we don't have any … left

kaj boste pili?
what would you like to drink?

želite sladico ali kavo?
would you like dessert or coffee?

je bilo v redu?
was everything OK?

BARS AND CAFÉS

Expressing yourself

I'd like …
rad *(m)*/rada *(f)* bi …
rrad/rrada bee …

a Coke®/a diet Coke®
kokakolo/dietno kokakolo
kohkakohlo/deeyehtno kohkakohlo

a glass of white/red wine
kozarec belega/rdečega vina
kozarrets behlega/uhrrdehchega veena

a black/white coffee
črno/belo kavo
chuhrrno/behlo kavo

a cup of tea
skodelico čaja
skodehleetso chaya

a coffee and a croissant
kavo in rogljiček
kavo een rroglyeechuhk

a cup of hot chocolate
skodelico vroče čokolade
skodehleetso wrrohche chokolade

the same again, please
še enkrat isto, prosim
she enkrrat eesto, prrohseem

Understanding

brezalkoholen
non-alcoholic

kaj boste?
what would you like?

EATING AND DRINKING

to je prostor za nekadilce
this is the non-smoking area

a lahko plačate sedaj, prosim?
could I ask you to pay now, please?

Some informal expressions

imam mačka I have a hangover
nalil *(m)*/**nalila** *(f)* **sem se ga** I'm drunk

THE BILL

Expressing yourself

the bill, please
račun, prosim
rrachoon, prrohseem

how much do I owe you?
koliko sem dolžan *(m)*/dolžna *(f)*?
kohleeko suhm dowzhan/dowzhna?

do you take credit cards?
a lahko plačam s kreditno kartico?
a lahkoh placham s krredeetno karrteetso?

I think there's a mistake in the bill
mislim, da ste se zmotili pri računu
meesleem, da ste se zmoteelee prree rrachoonoo

is service included?
a je postrežba vključena?
a ye postrrehzhba wklyoochena?

Understanding

računam vse skupaj?
are you all paying together?

ja, postrežba je vključena
yes, service is included

FOOD AND DRINK

The food and drink found in Slovenia features both national and international cuisines, with local specialities (**domače jedi**) or specialities of the house (**hišne specialitete**) often reflecting the influence of the countries bordering Slovenia.

A Slovene breakfast (**zajtrk**) is often substantial, although some Slovenes just have a continental-style breakfast. Lunch (**kosilo**) is taken at midday and dinner (**večerja**) in the early evening. Lunch and dinner usually comprise three courses: first a soup (**juha**) or a starter (**predjed**) which can be quite substantial, then a main course of meat, poultry or fish, which can be from a set menu (**dnevni meni**) or à la carte (**po naročilu**), and finally a dessert (**sladica**). Vegetarian menus in restaurants (**vegetarijanski meni**) are still relatively rare. Pizzerias are fairly common. Some restaurants have menus translated into English. Before eating it is polite to say **dober tek!** (enjoy your meal!) and for "cheers!" Slovenes use the expression **na zdravje!**

Understanding

danes priporočamo	today we recommend
dimljen	smoked
dnevni meni	today's set menu
dobro pečen	well done
dušen	stewed
kuhan v pari	steamed
na žaru	grilled
ocvrt	fried
pečen	baked
pečen na nabodalu	spit roasted
po naročilu	à la carte
skoraj surov	rare
srednje pečen	medium
v omaki	in sauce

♦ zajtrk breakfast

jajca s slanino	eggs and bacon
jajce	egg
jogurt	yogurt
kruh	bread
margarina	margarine
marmelada	jam
maslo	butter
mehko kuhano jajce	soft-boiled egg
ocvrta jajca	fried eggs
popečen kruh	toast
poširano jajce	poached egg
salama	salami
sir	cheese
šunka	ham
trdo kuhano jajce	hard-boiled egg
umešana jajca	scrambled eggs
žemlja	bread roll
žitni kosmiči	cereal

♦ predjedi starters

kraški pršut z olivami/melono	karst prosciutto with olives/watermelon
narezek	assorted cold meat
njoki z jurčki	gnocchi with ceps
rižota z gobami	risotto with mushrooms
sirovi štruklji	cheese dumplings
špageti po milansko/po bolonjsko	spaghetti milanaise/bolognaise
tatarski biftek	steak tartar
žlikrofi	spiced potato balls in dough

♦ juhe soups

brodet	fish stew
fižolova juha	bean soup
gobova juha	mushroom soup
goveja juha z domačimi rezanci	beef soup with home-made noodles
jota	cabbage soup with ham, beans and potatoes

piščančja obara	chicken stew
ričet	barley stew with pork ribs
zelenjavna juha	vegetable soup

♦ glavne jedi main courses

dunajski zrezek	Wiener schnitzel
goveji golaž s kruhovimi cmoki	beef goulash with bread dumplings
goveji zrezek	beef escalope
krvavica s kislim zeljem	blood sausage with sauerkraut
ljubljanski zrezek	pork cutlet stuffed with ham and cheese
mešano meso na žaru	mixed meat grill
ocvrt sir s tatarsko omako	fried cheese with tartar sauce
ocvrti lignji	fried squid
odojek na ražnju	spit-roasted suckling pig
polnjeni lignji	stuffed squid (usually stuffed with ham and cheese or vegetables)
postrv po tržaško	trout Trieste-style
puranji file v smetanovi omaki	turkey fillet in cream sauce
svinjska pečenka	roast pork
svinjski kotlet	pork cutlet
svinjski zrezek	pork escalope
telečji zrezek	veal escalope

♦ priloge in solate side dishes and salads

ajdovi žganci	buckwheat porridge
krompirjeva solata	potato salad
kruhovi cmoki	bread dumplings
mešana solata	mixed salad
paradižnikova solata	tomato salad
pečen krompir	roast potato
pomfri	chips
rdeča pesa	beetroot salad
riž	rice
štruklji	dumplings
testenine	pasta
zelena solata	green salad

FOOD AND DRINK

♦ **sladice** desserts

brez smetane	without cream
čokoladna torta	chocolate cake
gibanica	layers of pastry with an apple, walnut, poppy seed, cottage cheese and raisin filling
jabolčna pita	apple pie
jabolčni zavitek	apple strudel
kremna rezina	cream slice
krof z marmelado	jam doughnut
orehova potica	walnut and raisin roll
palačinke z orehi	pancakes with walnuts
palačinke s sladoledom	pancakes with ice-cream
palačinke s čokolado	pancakes with chocolate
pohorska omleta	sponge cake with fruit and cream
rogljiček	croissant
s smetano	with cream
sadna kupa	fruit cup
sirov zavitek	cottage-cheese strudel
sladki ajdovi štruklji z orehi	sweet buckwheat dumplings with nut filling
sladoled (vaniljev/jagodni/čokoladni/limonin)	ice-cream (vanilla/strawberry/chocolate/lemon)

♦ **pijače** drinks

aperitiv	aperitif
brezkofeina kava	decaffeinated coffee
čaj	tea
čaj z limono	tea with lemon
čaj z mlekom	tea with milk
jabolčni sok	apple juice
jagodni sok	strawberry juice
kava	coffee
kava s smetano	coffee with cream
kava z mlekom	coffee with milk
ledena kava	iced coffee
liker	liqueur
pivo	beer

pomarančni sok	orange juice
slivovka	plum brandy
svetlo pivo	light beer
temno pivo	dark beer
točeno pivo	draught beer
vino	wine
vroča čokolada	hot chocolate
žgane pijače	spirits

GLOSSARY OF FOOD AND DRINK

artičoka artichoke
avocado avocado
banana banana
bazilika basil
biftek (beef) steak
borovnice blueberries
brancin sea bass
breskev peach
brokoli broccoli
brstični ohrovt Brussels sprouts
brusnice cranberries
bučka courgette
cvetača cauliflower
čebula onion
česen garlic
češnja cherry
čokolada chocolate
črni ribez blackcurrants
dinja melon
divjačina game
divji prašič wild boar
figa fig
gobe mushrooms
golaž goulash
gorčica mustard
govedina beef
grah pea

grenivka grapefruit
grozdje grapes
hobotnica octopus
hruška pear
ingver ginger
jabolko apple
jagnjetina lamb
jagode strawberries
jajčevec aubergine
jastog lobster
kalamari squid
kečap ketchup
kis vinegar
kislo zelje sauerkraut
klobasa sausage
korenje carrots
koromač fennel
kostanj chestnut
krompir potato
krvavica blood sausage
kumara cucumber
kumarice gherkins
lešnik hazelnut
lignji squid
limonada lemonade
losos salmon
lubenica watermelon

FOOD AND DRINK

majoneza mayonnaise
mak poppy seed
mandlji almonds
marelica apricot
melona melon
meta mint
mineralna voda mineral water
odojek suckling pig
ohrovt kale
orada sea bream
oranžada orangeade
oreh nut
oslič hake
ostrige oysters
paprika pepper
pastinak parsnip
pašteta pâté
pehtran tarragon
perutnina poultry
peteršilj parsley
piščanec chicken
pomaranča orange
poper pepper
por leek
postrv trout
prigrizek snack
pršut prosciutto
puran turkey
raca duck
rakovica crab
rdeča pesa beetroot
rdeči ribez redcurrants
redkev radish
riba fish
robidnice blackberries

rogljiček croissant
rozina raisin
sadje fruit
salama salami
sardele sardines
sardine sardines
sarma cabbage rolls with meat and rice
sir cheese
skuša mackerel
sladka koruza sweetcorn
sliva plum
smokva fig
sol salt
solatni preliv salad dressing
srnjad venison
stročji fižol French bean
suha sliva prune
svinjina pork
škampi scampi
školjke mussels
šparglji asparagus
špinača spinach
štruca loaf
šunka ham
teletina veal
trska cod
tuna tuna
začimbe spices
zelena celeriac
zelenjava vegetables
zelje cabbage
zrezek escalope
žabji kraki frogs legs
žajbelj sage

Information about various cultural events (plays, concerts, art exhibitions, festivals, excursions etc) can be obtained from tourist offices in towns. Daily newspapers also give programmes for events in larger towns. Theatres are popular but may close in the summer months. Advance booking is advisable. Foreign-language films are shown in the original language with subtitles. The first performance usually starts around 3pm. Most churches and cathedrals are open to the public except when mass is taking place. Always ask permission before taking photos in churches and other public buildings. In larger towns there are often discos and nightclubs, some charging entry. If you are invited to visit someone's home while you are in Slovenia it is appropriate to take a small gift; chocolate, flowers or wine will all be appreciated.

The basics

ballet	balet *baleht*
band	ansambel *ansambuhl*
bar	bar *barr*
cinema	kino *keeno*
circus	cirkus *tseerrkoos*
classical music	klasična glasba *klaseechna glazba*
club	klub *kloop*
concert	koncert *kontserrt*
dubbed film	sinhroniziran film *seenhrroneezeerran feelm*
festival	festival *festeeval*
film	film *feelm*
folk music	narodnozabavna glasba *narrodnozabawna glazba*
group	skupina *skoopeena*
jazz	jazz *dzhehs*
modern dance	modern ples *moderruhn plehs*
musical	muzikal *moozeekal*

opera	opera *ohperra*
party	zabava *zabava*
play	igra *eegrra*
pop music	pop glasba *pop glazba*
rock music	rock glasba *rrohk glazba*
show	predstava *prretstava*
subtitled film	film s podnapisi *feelm s podnapeesee*
theatre	gledališče *gledaleeshche*
ticket	vstopnica *wstohpneetsa*, karta *karrta*
to book	rezervirati *rrezerrveerratee*
to go out	iti ven *eetee vuhn*

SUGGESTIONS AND INVITATIONS

Expressing yourself

where can we go?
kam lahko gremo?
kam lahkoh grrehmo?

what do you want to do?
kaj želite početi?
kay zheleete pochehtee?

shall we go for a drink?
a gremo na pijačo?
a grrehmo na peeyacho?

what are you doing tonight?
kaj boste počeli danes zvečer?
kay bohste pochehlee danuhs zvechehrr?

do you have plans?
a imate kaj v načrtu?
a eemate kay oo nachuhrrtoo?

would you like to …?
a želite …?
a zheleete …?

we were thinking of going to …
razmišljamo, da bi šli …
rrazmeeshlyamo, da bee shlee …

I can't today, but maybe some other time
danes ne morem, mogoče kdaj drugič
danuhs ne mohrrem, mogohche gday drroogeech

I'm not sure I can make it
nisem prepričan *(m)*/prepričana *(f)*, da mi bo uspelo
neesuhm prreprreechan/prreprreechana, da mee boh oospehlo

I'd love to
zelo rad *(m)*/rada *(f)* bi
zeloh rrad/rrada bee

ARRANGING TO MEET

what time shall we meet?
kdaj se dobimo?
gday se dobeemo?

where shall we meet?
kje se dobimo?
kyeh se dobeemo?

would it be possible to meet a bit later?
a se lahko dobimo malo kasneje?
a se lahkoh dobeemo malo kasneye?

I have to meet … at nine
ob devetih se moram dobiti s/z …
ob deveteeh se mohrram dobeetee s/z …

I don't know where it is but I'll find it on the map
ne vem kje je, a bom pogledal *(m)*/pogledala *(f)* na zemljevidu
ne vehm kyeh ye, a bohm poglehdaw/poglehdala na zemlyeveedoo

see you tomorrow night
se vidimo jutri zvečer
se veedeemo yootrree zvechehrr

I'll meet you later, I have to stop by the hotel first
dobimo se kasneje, najprej moram v hotel
dobeemo se kasneye, nayprrey mohrram oo hotehl

I'll call/text you if there's a change of plan
sporočil *(m)*/sporočila *(f)* vam bom, če bo prišlo do spremembe načrta
sporrohcheew/sporrohcheela vam bohm, che boh prreeshloh do sprremehmbe nachuhrrta

are you going to eat beforehand?
a boste prej kaj pojedli?
a bohste prrey kay poyehdlee?

sorry I'm late
oprostite za zamudo
oprrosteete za zamoodo

Understanding

a je to v redu za vas?
is that OK with you?

pridem po vas okoli osmih
I'll come and pick you up about 8

dobimo se tam
I'll meet you there

lahko se dobimo zunaj
we can meet outside …

dal *(m)***/dala** *(f)* **vam bom svojo telefonsko številko in lahko me pokličete jutri**
I'll give you my number and you can call me tomorrow

FILMS, SHOWS AND CONCERTS

Expressing yourself

is there a guide to what's on?
a imate spored?
a eemate sporret?

I'd like three tickets for …
rad *(m)*/rada *(f)* bi tri karte za …
rrad/rrada bee trree karrte za …

two tickets, please
dve karti, prosim
dveh karrtee, prrohseem

it's called …
imenuje se …
eemenooye se …

what time does it start?
kdaj se začne?
gday se zachne?

I've seen the trailer
videl *(m)*/videla *(f)* sem napovednik
veedew/veedela suhm napovedneek

I'd like to go and see a show
rad bi si ogledal *(m)*/rada bi si ogledala *(f)* predstavo
rrad bee see oglehdaw/rrada bee see oglehdala prretstavo

I'll find out whether there are still tickets available
pozanimal *(m)*/pozanimala *(f)* se bom, ali se še da dobiti karte
pozaneemaw/pozaneemala se bohm, alee se she da dobeetee karrte

do we need to book in advance?
a moramo rezervirati vnaprej?
a mohrramo rrezerrveerratee oonaprrey?

how long is it on for?
kako dolgo bo na sporedu?
kakoh dowgo boh na sporrehdoo?

are there tickets for another day?
a imate karte za kakšen drug dan?
a eemate karrte za kakshuhn drroog dan?

I'd like to go to a bar with some live music
rad bi šel *(m)*/rada bi šla *(f)* v bar z živo glasbo
rrad bee shew/rrada bee shla oo barr z zheevo glazbo

are there any free concerts?
a je kakšen brezplačen koncert?
a ye kakshuhn brresplachuhn kontserrt?

what sort of music is it?
kakšna zvrst glasbe je?
kakshna zvuhrrst glazbe ye?

Understanding

rezervacije	bookings
blagajna	box office
odpovedan	cancelled
na sporedu od …	on general release from …
matineja	matinée

koncert je na prostem
it's an open-air concert

ocene so bile zelo dobre
it's had very good reviews

premiera je naslednji teden
it comes out next week

na sporedu je ob osmih zvečer v Koloseju
it's on at 8pm at the Kolosej

ta predstava je razprodana
that performance is sold out

vse je rezervirano do …
it's all booked up until …

ni treba rezervirati vnaprej
there's no need to book in advance

predstava traja uro in pol skupaj z odmorom
the play lasts an hour and a half, including the interval

a želite kupiti program?
would you like to buy a programme?

prosimo izključite mobilne telefone
please turn off your mobile phones

PARTIES AND CLUBS

Expressing yourself

I'm having a little leaving party tonight
danes zvečer imam majhno poslovilno zabavo
danuhs zvechehrr eemam mayhno posloveelno zabavo

should I bring something to drink?
naj prinesem kaj za popit?
nay prreenesem kay za popeet?

we could go to a club afterwards
kasneje gremo lahko v klub
kasneye grrehmo lahkoh oo kloop

do you have to pay to get in?
a je treba plačati vstopnino?
a ye trrehba plachatee wstopneeno?

I have to meet someone inside
z nekom se moram dobiti notri
z nekohm se mohrram dobeetee nohtrree

will you let me back in when I come back?
a me boste spustili nazaj noter, ko se vrnem?
a me bohste spoosteelee nazay nohtuhrr, ko se vuhrrnem?

the DJ's really cool
DJ je res dober
dee dzhey ye rrehs dohbuhrr

do you come here often?
a pogosto pridete sem?
a pogohsto prreedete suhm?

can I buy you a drink?
a vam lahko kupim pijačo?
a vam lahkoh koopeem peeyacho?

thanks, but I'm with my boyfriend
hvala, sem s fantom
hvala, suhm s fantom

no thanks, I don't smoke
hvala, ne kadim
hvala, ne kadeem

Understanding

zastonj pijača — free drink
garderoba — cloakroom
deset evrov po polnoči — 10 euros after midnight

pri Ani je zabava
there's a party at Anne's place

a želite plesati?
do you want to dance?

a vam lahko kupim pijačo?
can I buy you a drink?

a imate ogenj?
have you got a light?

a imate cigareto?
have you got a cigarette?

a se lahko še kdaj vidiva?
can we see each other again?

a vas lahko pospremim domov?
can I see you home?

TOURISM AND SIGHTSEEING

The official website of the Slovenian Tourist Board can be found at www.slovenia.info. This offers a wide range of information for all towns and areas on a diverse range of topics such as cultural and natural treasures (such as castles, churches, monuments, national parks and so on) and events like the festivals and concerts held throughout the year. Tourist information offices (**Turistične informacije** or **Turistično-informacijski center**) are found in large towns and as well as providing information can also supply you with town maps and information on bus and rail timetables. Hotels too usually provide tourist brochures relevant to their local area.

The basics

ancient	starodaven *starrodavuhn*
antique	starinski *starreenskee*
area	območje *obmohchye*
castle	grad *grrat*
cathedral	katedrala *katedrrala*
century	stoletje *stolehtye*
church	cerkev *tsehrrkew*
exhibition	razstava *rrasstava*
gallery	galerija *galerreeya*
modern art	moderna umetnost *moderrna oomehtnost*
museum	muzej *moozey*
painting	slika *sleeka*
park	park *parrk*
ruins	ruševine *rroosheveene*
sculpture	skulptura *skoolptoorra*
square	trg *tuhrrk*
statue	kip *keep*

street map	karta mesta *karrta mehsta*
tour guide	turistični vodnik *(m)*/turistična vodnica *(f) toorreesteechnee vodneek/toorreesteechna vodneetsa*
tourist	turist *(m)*/turistka *(f) toorreest/ tooreestka*
tourist office	turistične informacije *toorreesteechne eenforrmatseeye*
town centre	center mesta *tsentuhrr mehsta*

Expressing yourself

I'd like some information on …
rad *(m)*/rada *(f)* bi nekaj informacij o …
rrad/rrada bee nehkay eenforrmatseey o …

can you tell me where the tourist office is?
a mi lahko poveste kje so turistične informacije?
a mee lahkoh povehste kyeh so toorreesteechne eenforrmatseeye?

do you have a street map of the town?
a imate karto mesta?
a eemate karrto mehsta?

I was told there's an old castle you can visit
povedali so mi, da lahko tam obiščem star grad
povehdalee so mee, da lahkoh tam obeeshchem starr grrat

can you show me where it is on the map?
a mi lahko pokažete kje je na zemljevidu?
a mee lahkoh pokazhete kyeh ye na zemlyeveedoo?

how do you get there?
kako se pride tja?
kakoh se prreede tya?

is it free to get in?
a je vstop brezplačen?
a ye vstop brresplachuhn?

when was the castle built?
kdaj je bil grad zgrajen?
gday ye beew grrad zgrrayen?

TOURISM, SIGHTSEEING

65

where is the ticket office?
kje je blagajna?
kyeh ye blagayna?

does the guide speak English?
a vodnik govori angleško?
a vodneek govoree anglehshko?

Understanding

gotski	Gothic
invazija	invasion
odprto	open
prenova	renovation
restavriranje	restoration work
rimski	Roman
srednjeveški	medieval
staro mesto	old town
tukaj ste	you are here *(on a map)*
vodeni ogled	guided tour
vojna	war
vstop prost	admission free
zaprto	closed

vprašati boste morali, ko boste prišli tja
you'll have to ask when you get there

naslednji vodeni ogled se začne ob dveh
the next guided tour starts at 2 o'clock

MUSEUMS, EXHIBITIONS AND MONUMENTS

Expressing yourself

I've heard there's a very good ... exhibition on at the moment
slišal *(m)*/slišala *(f)* sem, da imate trenutno zelo dobro razstavo ...
sleeshaw/sleeshala suhm, da eemate trrenootno zeloh dobrro rrasstavo ...

how much is it to get in?
koliko je vstopnina?
kohleeko ye wstopneena?

is this ticket valid for the exhibition as well?
a velja karta tudi za razstavo?
a velya karrta toodee za rrasstavo?

are there any discounts for young people?
a imate popust za mlade?
a eemate popoost za mlade?

is it open on Sundays?
a je odprto ob nedeljah?
a ye otpuhrrto ob nedehlyah?

two concessions and one full price, please
dve s popustom in eno polno ceno, prosim
dve s popoostom een eno powno tsehno, prrohseem

I have a student card
imam študentsko izkaznico
eemam shtoodentsko eeskazneetso

Understanding

avdiovodič	audioguide
blagajna	ticket office
fotografiranje prepovedano	no photography
ne dotikajte se	please do not touch
prepovedana uporaba bliskavice	no flash photography
stalna razstava	permanent exhibition
tišina	silence, please
začasna razstava	temporary exhibition

karta za muzej stane ...
admission to the museum costs …

s to karto si lahko ogledate tudi razstavo
this ticket also allows you access to the exhibition

a imate študentsko izkaznico?
do you have your student card?

TOURISM, SIGHTSEEING

GIVING YOUR IMPRESSIONS

Expressing yourself

it's beautiful
lepo je
lepoh ye

it was beautiful
lepo je bilo
lepoh ye beeloh

it's fantastic
fantastično je
fantasteechno ye

it was fantastic
fantastično je bilo
fantasteechno ye beeloh

I really enjoyed it
res sem užival *(m)*/uživala *(f)*
rres suhm oozheevaw/oozheevala

I didn't like it that much
ni mi bilo preveč všeč
nee mee beeloh prrevech wshehch

it was a bit boring
bilo je malce dolgočasno
beeloh ye maltse dowgochasno

I'm not really a fan of modern art
nisem ljubitelj *(m)*/ljubiteljica *(f)* moderne umetnosti
neesuhm lyoobeetely/lyoobeetelyeetsa moderrne oomehtnostee

it's expensive for what it is
drago je za to, kar ponuja
drragoh ye za toh, karr ponooya

it's very touristy
zelo turistično je
zeloh toorreesteechno ye

it was really crowded
bila je gneča
beela ye gnehcha

we didn't go in the end, the queue was too long
na koncu nismo šli noter, vrsta je bila predolga
na kontsoo neesmo shlee nohtuhrr, vuhrrsta ye beela prredowga

we didn't have time to see everything
nismo imeli dovolj časa, da bi si vse ogledali
neesmo eemehlee dovoly chasa, da bee see wse oglehdalee

Understanding

slaven
slikovit

famous
picturesque

TOURISM, SIGHTSEEING

tipičen typical
tradicionalen traditional

res si morate ogledati …
you really must go and see …

priporočam vam, da greste v/na …
I recommend going to …

prelep razgled nad celotnim mestom je
there's a wonderful view over the whole city

postalo je preveč turistično
it's become a bit too touristy

obala je bila popolnoma uničena
the coast has been completely ruined

SPORTS AND GAMES

Football, basketball, handball and volleyball are the most popular team and spectator sports. In winter, skiing, ski jumping and ice hockey are very popular and ski resorts usually have a wide variety of pistes from gentle beginners' slopes to the most challenging black runs. Every winter Slovenia hosts a world cup event in skiing (in Pohorje and Kranjska Gora) and ski jumping (in Planica). Slovenia also produces high-quality skis, ski boots and ski wear which you can buy in department stores or specialist sports shops (under the brand name Elan).

Because of its varied terrain Slovenia offers excellent opportunities for outdoor sports such as kayaking, canoeing, rowing, caving, cycling and hiking. Golf is not yet widespread but you can play at several golf courses, for example in Bled where there is an 18-hole course in a picturesque Alpine setting, in Otočec, in the spa resort Moravske Toplice and so on. Clay tennis courts are to be found in the major cities and in seaside resorts like Portorož.

The basics

ball	žoga *zhohga*
basketball	košarka *kosharrka*
board game	družabna igra *drroozhabna* **eegrra**
cards	karte *karrte*
chess	šah *shah*
cross-country skiing	tek na smučeh *tehk na smoochehh*
cycling	kolesarjenje *kolesarryenye*
downhill skiing	smuk *smook*
football	nogomet *nogomet*
handball	rokomet *rokomet*
hiking	pohodništvo *pohohdneeshtvo*
hiking path	pohodniška pot *pohohdneeshka poht*, pešpot *pehshpoht*
match	tekma *tehkma*

mountain biking	gorsko kolesarjenje *gorrsko kolesarryenye*
mountaineering	planinarjenje *planeenarryenye*
pool	*(game)* biljard *beelyarrt*; *(swimming pool)* bazen *bazehn*
skiing	smučanje *smoochanye*
skis	smuči *smoochee*
snowboarding	deskanje na snegu *duhskanye na snehgoo*, bordanje *bohrrdanye*
sport	šport *shpohrrt*
surfing	deskanje na vodi *duhskanye na vodee*; surfanje *suhrrfanye*
swimming	plavanje *plavanye*
swimming pool	bazen *bazehn*
table football	namizni nogomet *nameeznee nogomet*
tennis	tenis *tehnees*
trip	izlet *eezlet*
to go hiking	iti na pohod *eetee na pohot*
to have a game of tennis	igrati tenis *eegratee tehnees*
to play	igrati *eegratee*

Expressing yourself

I'd like to hire … for an hour
rad bi si izposodil *(m)*/rada bi si izposodila *(f)* … za eno uro
rrad bee see eesposohdeew/rrada bee see eesposodeela … za eno oorro

can I book a session?
a lahko rezerviram uro z inštruktorjem?
a lahkoh rrezerrveerram oorro z eenshtrrooktorryem?

are there lessons available?
a ponujate tečaj?
a ponooyate techay?

do you have a timetable?
a imate urnik?
a eemate oorrneek?

how much is it per person per hour?
koliko stane na osebo na uro?
kohleeko stane na osehbo na oorro?

I'm not very sporty
nisem športen tip
neesuhm shpohrrtuhn teep

I've never done it before
tega nisem še nikoli naredil *(m)*/naredila *(f)*
tehga neesuhm she neekohlee narredeew/narredeela

I've done it once or twice, a long time ago
poskusil *(m)*/poskusila *(f)* sem enkrat ali dvakrat, že dolgo tega
poskooseew/poskooseela suhm enkrrat alee dvakrrat, zhe dowgo tehga

I'm exhausted!
izčrpan *(m)*/izčrpana *(f)* sem!
eeschuhrrpan/eeschuhrrpana suhm!

I'd like to go and watch a football match
rad bi si ogledal *(m)*/rada bi si ogledala *(f)* nogometno tekmo
rrad bee see oglehdaw/rrada bee see oglehdala nogomehtno tehkmo

Understanding

najem   for hire

a imate kaj izkušenj ali ste popoln začetnik *(m)*/popolna začetnica *(f)*?
do you have any experience, or are you a complete beginner?

polog znaša …
there is a deposit of …

zavarovanje je obvezno in stane …
insurance is compulsory and costs …

HIKING

are there any hiking paths around here?
a so v bližini pešpoti?
a so oo bleezheenee pehshpohtee?

can you recommend any good walks in the area?
a mi lahko priporočite kakšen dober sprehod tu v bližini?
a mee lahkoh prreeporrocheete kakshuhn dohbuhrr sprrehot too oo bleezheenee?

I've heard there's a nice walk by the lake
slišal *(m)*/slišala *(f)* sem, da je ob jezeru prijeten sprehod
sleeshaw/sleeshala suhm, da ye ob yehzeroo prreeyehtuhn sprrehot

we're looking for a short walk somewhere round here
radi bi se malo sprehodili tu naokoli
rradee bee se malo sprrehodeelee too naokohlee

can I hire hiking boots?
a si lahko izposodim pohodniške čevlje?
a see lahkoh eesposohdeem pohohdneeshke chehwlye?

how long does the hike take?
kako dolgo traja pohod?
kakoh dowgo trraya pohot?

is it very steep?
a je zelo strmo?
a ye zeloh stuhrrmo?

do you have a map?
a imate zemljevid?
a eemate zemlyeveet?

where's the start of the path?
kje je začetek poti?
kyeh ye zachehtuhk potee?

is the path waymarked?
a je pot označena?
a je poht oznachena?

is it a circular path?
a je pot krožna?
a ye poht krrohzhna?

hoja traja približno tri ure, skupaj s postanki
it's about a three-hour walk including rest stops

prinesite nepremočljivo jakno in pohodniške čevlje
bring a waterproof jacket and some walking shoes

SKIING AND SNOWBOARDING

Expressing yourself

I'd like to hire skis, poles and boots
rad bi si izposodil *(m)*/rada bi si izposodila *(f)* smuči, palice in smučarske čevlje
rrad bee see eesposohdeew/rrada bee see eesposodeela smoochee, paleetse een smoocharrske chehwlye

I'd like to hire a snowboard
rad bi si izposodil *(m)*/rada bi si izposodila *(f)* desko/bord
rrad bee see eesposohdeew/rrada bee see eesposodeela desko/bohrrt

they're too big/small
preveliki/premajhni so
prreveleekee/prremayhnee so

a day pass
dnevna karta
dnehwna karrta

I'm a complete beginner
sem popoln začetnik *(m)*/popolna začetnica *(f)*
suhm popown zachehtneek/popowna zachehtneetsa

SPORTS AND GAMES

Understanding

sedežnica	chair lift
karta za vlečnico	lift pass
vlečnica	ski lift
vlečnica	T-bar, button lift

OTHER SPORTS

Expressing yourself

where can we hire bikes?
kje si lahko izposodimo kolesa?
kyeh see lahkoh eesposohdeemo kolehsa?

are there any cycle paths?
a so tam kolesarske poti?
a so tam kolesarrske potee?

where can we play football/tennis/pool/badminton?
kje lahko igramo nogomet/tenis/biljard/badminton?
kyeh lahkoh eegrramo nogomet/tehnees/beelyarrt/badmeenton?

which team do you support?
za koga navijate?
za kohga naveeyate?

I support ...
navijam za …
naveeyam za …

is there an open-air swimming pool?
a je tam zunanji bazen?
a ye tam zoonanyee bazehn?

I've never been diving before
nikoli prej se še nisem potapljal (m)/potapljala (f)
neekohlee prrey se she neesuhm potaplyaw/potaplyala

can we hire rackets?
a si lahko izposodimo loparje?
a see lahkoh eesposohdeemo loparrye?

where are the showers/changing rooms?
kje so tuši/garderobe?
kyeh so tooshee/garrderrohbe?

I'd like to take beginners' sailing lessons
rad bi se prijavil *(m)*/rada bi se prijavila *(f)* na tečaj jadranja za
začetnike
*rrad bee se prreeyaveew/rrada bee se prreeyaveela na techay yadrranya za
zachehtneeke*

I go for a run every morning
vsako jutro tečem
wsako yootrro techem

Understanding

blizu postaje je javno teniško igrišče
there's a public tennis court not far from the station

igrišče za tenis je zasedeno
the tennis court's occupied

a danes prvič jahate?
is this the first time you've been horse-riding?

a znate plavati?
can you swim?

potrebovali boste ključ za omarice
you'll need a key for the lockers

a igrate košarko?
do you play basketball?

INDOOR GAMES

Expressing yourself

shall we have a game of chess/cards?
a bi odigrali en šah/ene karte?
a bee odeegrralee en shah/ene karrte?

does anyone know any good card games?
a kdo pozna kakšno dobro igro s kartami?
a gdoh pozna kakshno dobrro eegrro s karrtamee?

is anyone up for a game of Monopoly®?
a bi kdo igral monopoli?
a bee gdoh eegraw monohpolee?

it's your turn
vi ste na vrsti
vee ste na vuhrrstee

Understanding

a znate igrati šah?
do you know how to play chess?

a zaigramo en biljard?
shall we have a game of pool?

a imate karte?
do you have a pack of cards?

SHOPPING

ℹ️

Supermarkets, bakeries and other food shops are open from 7 or 8am to 7 or 8pm Monday to Saturday. They are also open for a period on Sundays. Shopping centres and department stores in towns are open until 8pm on Saturdays and from 9am to 3pm on Sundays. The large chains in Slovenia are **Mercator**, **Spar** and **Tuš**. You will also find open markets in many places which sell not only fresh fruit and vegetables etc but also clothes and a wide variety of local handicrafts from the countryside. Credit cards are accepted in shops. Clothing and shoe sizes are the same as in the rest of Europe.

Some informal expressions

drago je kot žafran it costs an arm and a leg
nor (m)/**nora** (f) **sem na nakupovanje!** I'm mad about shopping!
skoraj zastonj je it's an absolute steal

The basics

bakery	pekarna *pekarrna*
butcher's	mesar *mesarr*
cash desk	blagajna *blagayna*
cheap	poceni *potsehnee*
checkout	blagajna *blagayna*
clothes	oblačila *oblacheela*
department store	veleblagovnica *veleblagowneetsa*
expensive	drago *drragoh*
gram	gram *grram*
greengrocer's	sadje in zelenjava *sadye een zelenyava*
hypermarket	hipermarket *heeperrmarrket*
kilo	kilogram/kila *keelogrram/keela*
present	darilo *darreelo*
price	cena *tsehna*

receipt	račun *rrachoon*
refund	vračilo denarja *wrracheelo denarrya*
sales	razprodaja *rrasprrodaya*
sales assistant	prodajalec *(m)*/prodajalka *(f)* *prrodayaluhts/prrodayawka*
shop	trgovina *tuhrrgoveena*
shopping centre	trgovski center *tuhrrgowskee tsentuhrr*
souvenir	spominek *spomeenuhk*
supermarket	supermarket *soopuhrrmarrket*
to buy	kupiti *koopeetee*
to cost	stati *statee*
to pay	plačati *plachatee*
to sell	prodati *prrodatee*

Expressing yourself

is there a supermarket near here?
a je v bližini supermarket?
a ye oo bleezheenee soopuhrrmarrket?

where can I buy cigarettes?
kje lahko kupim cigarete?
kyeh lahkoh koopeem tseegarrehte?

I'd like ...
rad *(m)*/rada *(f)* bi ...
rrad/rrada bee ...

I'm looking for ...
iščem ...
eeshchem ...

do you sell ...?
a prodajate ...?
a prrodayate ...?

can you order it for me?
a lahko naročite zame?
a lahkoh narrocheete zame?

do you know where I might find some ...?
a veste, kje lahko najdem ...?
a vehste, kyeh lahkoh naydem ...?

how much is this?
koliko stane?
kohleeko stane?

I'll take it
vzel *(m)*/vzela *(f)* bom
wzehw/wzehla bohm

I haven't got much money
nimam veliko denarja
neemam veleeko denarrya

I haven't got enough money
nimam dovolj denarja
neemam dovoly denarrya

that's everything, thanks
to je vse, hvala
toh ye wse, hvala

can I have a (plastic) bag?
a lahko dobim (plastično) vrečko?
a lahkoh dobeem (plasteechno) wrrehchko?

I think you've made a mistake with my change
oprostite, mislim, da ste se zmotili
oprrosteete, meesleem, da ste se zmoteelee

Understanding

delovni čas — opening hours
odprto od … do … — open from … to …
posebna ponudba — special offer
razprodaja — sales
zaprto — closed

še kaj drugega?
will there be anything else?

a želite vrečko?
would you like a bag?

PAYING

Expressing yourself

where do I pay?
kje je blagajna?
kyeh ye blagayna?

how much do I owe you?
koliko sem dolžan *(m)*/dolžna *(f)*?
kohleeko suhm dowzhan/dowzhna?

could you write it down for me, please?
a mi lahko napišete, prosim?
a mee lahkoh napeeshete, prrohseem?

can I pay by credit card?
a lahko plačam s kreditno kartico?
a lahkoh placham s krredeetno karrteetso?

I'll pay in cash
plačal *(m)*/plačala *(f)* bom z gotovino
plachaw/plachala bohm z gotoveeno

I'm sorry, I haven't got any change
oprostite, nimam drobiža
oprrosteete, neemam drrobeezha

can I have a receipt?
a lahko dobim račun, prosim?
a lahkoh dobeem rrachoon, prrohseem?

Understanding

blagajna   please pay here

plačate z gotovino ali s kartico?
cash or credit card?

a nimate nič manjšega?
do you have anything smaller?

a imate kakšen osebni dokument?
have you got any ID?

podpišite se tukaj, prosim
could you sign here, please?

FOOD

Expressing yourself

where can I buy food around here?
kje lahko kupim hrano tukaj v bližini?
kyeh lahkoh koopeem hrrano tookay oo bleezheenee?

is there a market?
a je tam tržnica?
a ye tam tuhrrzhneetsa?

is there a bakery around here?
a je kje v bližini pekarna?
a ye kyeh oo bleezheenee pekarrna?

I'm looking for the cereal aisle
kje so žitni kosmiči?
kyeh so zheetnee kosmeechee?

I'd like five slices of ham
rad *(m)*/rada *(f)* bi pet rezin šunke
rrad/rrada bee peht rrezeen shoonke

I'd like some of that goat's cheese
rad *(m)*/rada *(f)* bi malo tistega kozjega sira
rrad/rrada bee malo teestega kohzyega seerra

it's for four people
za štiri ljudi
za shteerree lyoodee

about 300 grams
približno 30 dek
prreebleezhno trreedeset dek

a kilo of apples, please
kilo jabolk, prosim
keelo yabowk, prrohseem

a bit less/more
malo manj/več
malo many/vech

can I taste it?
a lahko poizkusim?
a lahkoh poeeskooseem?

does it travel well?
a je obstojno?
a ye opstohyno?

Understanding

bio	organic
delikatesa	delicatessen
domače	homemade
lokalne specialitete	local specialities
uporabno do …	best before …

tržnica je odprta vsak dan do enih popoldne
there's a market every day until 1pm

na vogalu je trgovina, ki je dlje odprta
there's a grocer's just on the corner that's open late

CLOTHES

Expressing yourself

I'm looking for the menswear section
iščem oddelek z moškimi oblačili
eeshchem oddehluhk z moshkeemee oblacheelee

no thanks, I'm just looking
ne hvala, samo gledam
ne hvala, samoh glehdam

can I try this on?
a lahko to pomerim?
a lahkoh toh pomehrreem?

I'd like to try the t-shirt in the window
rad bi pomeril *(m)*/rada bi pomerila *(f)* tisto majico v izložbi
rrad bee pomehrreew/rrada bee pomehrreela teesto mayeetso oo eezlohzhbee

I take a size 39 *(in shoes)*
imam številko 39
eemam shteveelko devehteentrreedeset

where are the changing rooms?
kje je garderoba?
kyeh ye garrderrohba?

it doesn't fit
ni mi prav
nee mee prraw

this t-shirt's too big/small
ta majica je prevelika/premajhna
ta mayeetsa ye prreveleeka/prremayhna

do you have it in another colour?
a imate kakšno drugo barvo?
a eemate kakshno drroogo barrvo?

do you have it in a smaller/bigger size?
a imate manjšo/večjo številko?
a eemate manysho/vehchyo shteveelko?

do you have them in red?
a jih imate v rdeči barvi?
a yeeh eemate oo uhrrdehchee barrvee?

yes, that's fine, I'll take them
ja, v redu je, vzel *(m)*/vzela *(f)* jih bom
ya, oo rrehdoo ye, wzehw/wzehla yeeh bohm

no, I don't like it
ne, ni mi všeč
ne, nee mee wshehch

I'll think about it
premislil *(m)*/premislila *(f)* bom
prremeesleew/prremeesleela bohm

I'd like to return this, it doesn't fit
rad bi vrnil *(m)*/rada bi vrnila *(f)* tole, ni mi prav
rrad bee vuhrrneew/rrada bee vuhrrneela tohle, nee mee prraw

this jumper has a hole in it, can I get a refund?
ta pulover ima luknjo, a mi lahko vrnete denar?
ta poolovuhrr eema looknyo, a mee lahkoh vuhrrnete denarr?

Understanding

garderoba	changing rooms
moška oblačila	menswear
oblačil, ki jih kupite na razprodaji, ne morete vrniti	sale items cannot be returned
odprto ob nedeljah	open Sunday
otroška oblačila	children's clothes
perilo	lingerie
ženska oblačila	ladieswear

dober dan, a vam lahko pomagam?
hello, can I help you?

… imamo samo v modri in črni barvi
we only have … in blue or black

te velikosti nimamo več
we don't have any left in that size

pristaja vam
it suits you

prav vam je
it's a good fit

če vam ne bo prav, lahko vrnete
you can bring it back if it doesn't fit

SHOPPING

SOUVENIRS AND PRESENTS

I'm looking for a present to take home
iščem darilo za domov
eeshchem darreelo za domow

do you have anything made locally?
a imate kakšen domač izdelek?
a eemate kakshuhn domach eezdehluhk?

I'd like something that's easy to transport
rad *(m)*/rada *(f)* bi nekaj, kar se lahko prenaša
rrad/rrada bee nehkay, karr se lahkoh prrenasha

it's for a little girl of four
za majhno, štiriletno deklico je
za mayhno, shteerreelehtno dehkleetso ye

could you gift-wrap it for me?
a mi lahko zavijete kot darilo?
a mee lahkoh zaveeyete kot darreelo?

Understanding

narejeno iz lesa/srebra/zlata/ volne	made of wood/silver/gold/wool
ročno izdelano	handmade
tradicionalno narejen izdelek	traditionally made product

koliko nameravate zapraviti?
how much do you want to spend?

a je za darilo?
is it for a present?

to je tipično za to regijo
it's typical of the region

PHOTOS

(i)

There are various photo shops in larger towns which sell photographic equipment and popular brands of film and also develop films (in a lot of photo shops you can have films developed in an hour). You can also have your films developed in certain drug stores (**Drogerie Markt**). Digital cameras are more and more common nowadays and photo shops can put your photos on CDs.

The basics

black and white	črno-bel *chuhrrno-behw*
camera	fotoaparat *fohtoaparrat*
colour	barva *barrva*
CD	zgoščenka *zgoshchenka*, CD *tsehdeh*
copy	kopija *kohpeeya*
digital camera	digitalen fotoaparat *deegeetaluhn fohtoaparrat*
disposable camera	fotoaparat za enkratno uporabo *fohtoaparrat za enkrratno ooporrabo*
exposure	osvetlitev *osvetleetew*
film	film *feelm*
flash	bliskavica *bleeskaveetsa*, fleš *flehsh*
glossy	bleščeč *bleshchech*
matte	mat *mat*
memory card	spominska kartica *spomeenska karrteetsa*
negative	negativ *nehgateew*
passport photo	fotografija za potni list *fotogrrafeeya za pohtnee leest*
reprint	ponatis *ponatees*
slide	diapozitiv *deeapozeeteew*
to get photos developed	razviti fotografije *rrazveetee fotogrrafeeye*
to take a photo/photos	fotografirati *fotogrrafeerratee*

could you take a photo of us, please?
a nas lahko fotografirate, prosim?
a nas lahkoh fotogrrafeerratee, prrohseem?

you just have to press this button
samo ta gumb morate pritisniti
samoh ta goomp mohrrate prreeteesneetee

I'd like a 200 ASA colour film
rad (m)/rada (f) bi barven film 200 ASA
rrad/rrada bee barrvuhn feelm dvehsto asa

do you have black and white films?
a imate črno-bele filme?
a eemate chuhrrno-behle feelme?

how much is it to develop a film of 36 photos?
koliko stane razvijanje filma s 36 posnetki?
kohleeko stane rrazveeyanye feelma s shehsteentrreedeset posnehtkee?

I'd like to have this film developed
rad bi razvil (m)/rada bi razvila (f) ta film
rrad bee rrazveew/rrada bee rrazveela ta feelm

I'd like extra copies of some of the photos
rad (m)/rada (f) bi dodatne kopije nekaterih fotografij
rrad/rrada bee dodatne kohpeeye nekatehrreeh fotogrrafeey

three copies of this one and two of this one
tri kopije te in dve kopiji te fotografije
trree kohpeeye teh een dveh kohpeeye teh fotogrrafeeye

can I print my digital photos here?
a lahko tukaj natisnem digitalne fotografije?
a lahkoh tookay nateesnem deegeetalne fotogrrafeeye?

can you put these photos on a CD for me?
a mi lahko shranite te fotografije na CD?
a mee lahkoh shrraneete teh fotogrrafeeye na tsedeh?

I've come to pick up my photos
prišel (m)/prišla (f) sem po svoje fotografije
prreeshew/prreeshla suhm po svoye fotogrrafeeye

I've got a problem with my camera
fotoaparat mi nagaja
fohtoaparrat mee nagaya

I don't know what it is
ne vem, kaj mu je
ne vehm, kay moo ye

the flash doesn't work
bliskavica ne dela
bleeskaveetsa ne dehla

Understanding

fotografije v eni uri	photos developed in one hour
klasičen/standarden format	standard format
ekspres storitve	express service
fotografije na zgoščenki	photos on CD

mogoče se je izpraznila baterija
maybe the battery's dead

imamo napravo za tiskanje digitalnih fotografij
we have a machine for printing digital photos

vaš priimek, prosim?
what's the name, please?

kdaj jih želite imeti?
when do you want them for?

lahko jih razvijemo v eni uri
we can develop them in an hour

vaše fotografije bodo pripravljene v torek opoldne
your photos will be ready on Thursday at noon

BANKS

The national currency is now the euro, introduced in January 2007. Banks are normally open from Monday to Friday from 9am to 12pm and from 2pm to 5pm, and a few duty banks will open on Saturdays from 9am to 12pm. Cash dispensers (**bankomat**) are available at all banks and certain other outlets in all towns, but one should be aware that such facilities will not be available in many rural areas. In larger towns the instructions on some cash dispensers are in a choice of languages including English. Most credit cards are accepted in Slovenia and can be used in most hotels, large restaurants and larger retail outlets.

The basics

bank	banka *banka*
bank account	bančni račun *banchnee rrachoon*
banknote	bankovec *bankovuhts*
bureau de change	menjalnica *menyalneetsa*
cashpoint	bankomat *bankomat*
change	drobiž *drrobeesh*
cheque	ček *chehk*
coin	kovanec *kovanuhts*
commission	provizija *prroveezeeya*
credit card	kreditna kartica *krredeetna karrteetsa*
PIN (number)	osebna številka *osehbna shteveelka*
transfer	nakazilo *nakazeelo*
Travellers Cheques®	potovalni čeki *potovalnee chehkee*
withdrawal	dvig *dveek*
to change	zamenjati *zamehnyatee*
to transfer	nakazati *nakazatee*
to withdraw	dvigniti *dveegneetee*

Expressing yourself

where I can get some money changed?
kje lahko zamenjam denar?
kyeh lahkoh zamehnyam denarr?

are banks open on Saturdays?
a so banke odprte ob sobotah?
a so banke otpuhrrte op sobohtah?

I'm looking for a cashpoint
iščem bankomat
eeshchem bankomat

I'd like to change £100
rad bi zamenjal *(m)*/rada bi zamenjala *(f)*100 funtov
rrad bee zamenaw/rrada bee zamehnyala 100 foontow

what commission do you charge?
koliko je provizija?
kohleeko ye prroveezeeya?

I'd like to transfer some money
rad bi nakazal *(m)*/rada bi nakazala *(f)* nekaj denarja
rrad bee nakazaw/rrada bee nakazala nehkay denarrya

I'd like to report the loss of my credit card
rad bi prijavil *(m)*/rada bi prijavila *(f)* izgubo kreditne kartice
rrad bee prreeyaveew/rrada bee prreeyaveela eezgooboo krredeetne karrteetse

the cashpoint has swallowed my card
bankomat je zadržal mojo kartico
bankomat ye zadrrzhaw moyo karrteetso

Understanding

prosimo vstavite kartico
please insert your card

vpišite osebno številko
please enter your PIN number

prosimo vnesite izbrani znesek
please select amount for withdrawal

želite potrdilo o opravljeni storitvi?
with receipt?

ne deluje
out of service

POST OFFICES

Slovene post offices (**pošta**) can be recognised by a yellow sign with a picture of a posthorn, and post boxes are painted in the same colour. Most post offices are open from 8am to 6 or 7pm from Monday to Friday and from 8am to 11am or 12 noon on Saturdays. Post offices offer a wide range of services from selling stamps, postcards, telephone cards and greetings cards to sending parcels and faxes, exchanging currency and providing photocopying facilities. Mail sent before 5 or 6pm is sent the same day. If you wish to send a parcel post offices sell ready-made cardboard boxes in various sizes. Poste restante is held at the main post office in the town. Note that stamps and postcards may also be purchased at some kiosks and in some shops.

The basics

airmail	letalska pošta *letalska pohshta*
envelope	kuverta *kooverrta*
letter	pismo *peesmo*
mail	pošta *pohshta*
parcel	paket *pakeht*
post	pošta *pohshta*
postbox	poštni nabiralnik *pohshtnee nabeerralneek*
postcard	razglednica *rrazglehdneetsa*
postcode	poštna številka *pohshtna shteveelka*
post office	pošta *pohshta*
stamp	znamka *znamka*
to post	poslati pošto *poslatee pohshto*
to send	poslati *poslatee*
to write	pisati *peesatee*

Expressing yourself

is there a post office around here?
a je kje v bližini pošta?
a ye kyeh oo bleezheenee pohshta?

is there a postbox near here?
a je kje v bližini poštni nabiralnik?
a ye kyeh oo bleezheenee pohshtnee nabeerralneek?

is the post office open on Saturdays?
a je pošta odprta ob sobotah?
a ye pohshta odpuhrrta op sobohtah?

what time does the post office close?
kdaj se zapre pošta?
gday se zaprre pohshta?

do you sell stamps?
a prodajate znamke?
a prrodayate znamke?

I'd like five stamps for the UK, please
rad *(m)*/rada *(f)* bi pet znamk za Veliko Britanijo
rrad/rrada bee peht znamk za vehleeko brreetaneeyo

how long will it take to arrive?
kdaj bo pošta prispela?
gday boh pohshta prreespehla?

where can I buy envelopes?
kje lahko kupim kuverte?
kye lahkoh koopeem kooverrte?

is there any post for me?
a je kaj pošte zame?
a ye kay pohshte zame?

Understanding

lomljivo	fragile
pošiljatelj	sender
ravnajte pazljivo	handle with care

pošiljke, oddane do 18. ure, bodo tega dne odpravljene razen ob nedeljah in praznikih
mail posted before 6pm will be posted the same day, except on Sundays and holidays

trajalo bo od tri do pet dni
it'll take between three and five days

INTERNET CAFÉS AND E-MAIL

Many Slovenes have e-mail access and use it regularly. You will find public Internet access in larger towns (in Internet cafes, libraries and multimedia centres). All computers in Slovenia use an English-language operating system and QWERTY keyboard.

The basics

at sign	afna *afna*
copy	kopiraj *kopeerray*
cut	izreži *eezrrehzhee*
delete	izbriši *eezbrreeshee*
e-mail address	elektronski naslov *elektrrohnskee naslow*
Internet café	spletna kavarna *splehtna kavarrna*
key	tipka *teepka*
keyboard	tipkovnica *teepkowneetsa*
paste	prilepi *prreelehpee*
save	shrani *shrranee*
to download	naložiti *nalozheetee*
to receive	prejeti *prreyehtee*
to send an e-mail	poslati e-mail *poslatee eemeyl*

Expressing yourself

is there an Internet café near here?
a je kje v bližini spletna kavarna?
a ye kyeh oo bleezheenee splehtna kavarrna?

do you have an e-mail address?
a imate elektronski naslov?
a eemate elektrrohnskee naslow?

how do I get online?
kako se povežem z internetom?
kakoh se povehzhem z eenterrnehtom?

I'd just like to check my e-mails
rad bi pogledal *(m)*/rada bi pogledala *(f)* elektronsko pošto
rrad bee poglehdaw/rrada bee poglehdala elektrrohnsko pohshto

would you mind helping me, I'm not sure what to do
a mi lahko pomagate, nisem prepričan *(m)*/prepričana *(f)*, kaj moram storiti
*a mee lahkoh pomagate, neesuhm prreprreechan/prreprreechana, kay
  mohrram storreetee*

it's not working
ne dela
ne dehla

when do I pay?
kdaj moram plačati?
gday mohrram plachatee?

I can't find the at sign on this keyboard
ne najdem znaka za afno na tej tipkovnici
ne naydem znaka za afno na tey teepkowneetsee

there's something wrong with the computer, it's frozen
nekaj je narobe z računalnikom, zamrznil je
nehkay ye narrohbe z rrachoonalneekom, zamuhrrzneew ye

how much will it be for half an hour?
koliko stane pol ure?
kohleeko stane pow oorre?

Understanding

poslano   outbox
prejeto   inbox

počakati boste morali kakšnih dvajset minut
you'll have to wait for 20 minutes or so

kar vprašajte, če želite pomoč
just ask if you're not sure what to do

vtipkajte to geslo za dostop do interneta
just enter this password to log on

oprostite, vaš čas je potekel
I'm afraid your time has run out

TELEPHONE

The use of mobile phones is widespread. Your mobile will work on one of the Slovene networks (Mobitel, Simobil Vodafone, Debitel). Reception is generally good although it may be rather unreliable in some mountainous regions. Public phone boxes are to be found on streets and in some post offices (they are not very common, however). Public telephones require the use of a phonecard (**telefonska kartica**), which can be purchased at post offices and newspaper stands. Slovene telephone numbers are nine digits long (including the network and local number). To call the UK from Slovenia dial 0044 and then the number you require minus the first zero. To call Slovenia from abroad dial 00386 and then the number you require minus the first zero.

The basics

answering machine	telefonska tajnica *telefohnska tayneetsa*
call	klic *kleets*
directory enquiries	telefonske informacije *telefohnske eenformmatseeye*
hello	prosim *prrohseem*
international call	mednarodni klic *mednarrodnee kleets*
local call	lokalni klic *lokalnee kleets*
message	sporočilo *sporrocheelo*
mobile	mobilni telefon *mobeelnee telefohn*
national call	medkrajevni klic *medkrrayehwnee kleets*
phone	telefon *telefohn*
phone book	telefonski imenik *telefohnskee eemeneek*
phone box	telefonska govorilnica *telefohnska govorreelneetsa*
phone call	telefonski klic *telefohnskee kleets*

phone number	telefonska številka *telefohnska shteveelka*
phonecard	telefonska kartica *telefohnska karrteetsa*
ringtone	ton zvonjenja *tohn zvonyenya*
telephone	telefon *telefohn*
top-up card	telefonska kartica *telefohnska karrteetsa*
Yellow Pages ®	rumene strani *rroomene strranee*
to call someone	poklicati nekoga *pokleetsatee nekohga*

Expressing yourself

where can I buy a phonecard?
kje lahko kupim telefonsko kartico?
kyeh lahkoh koopeem telefohnsko karrteetso?

a ...-euro top-up card, please
telefonsko kartico za ... evrov, prosim
telefohnsko karrteetso za ... ehwrrow, prrohseem

I'd like to make a reverse-charge call to ...
rad bi poklical *(m)*/rada bi poklicala *(f)* ... na njegove stroške
rrad bee pokleetsaw/rrada bee pokleetsala ... na nyegove strrohshke

is there a phone box near here, please?
a je v bližini telefonska govorilnica?
a ye oo bleezheenee telefohnska govorreelneetsa?

can I plug my phone in here to recharge it?
a lahko tukaj vklopim in napolnim svoj mobilni telefon?
a lahkoh tookay wklohpeem een napowneem svohy mobeelnee telefohn?

do you have a mobile number?
a imate mobilni telefon?
a eemate mobeelnee telefohn?

where can I contact you?
na katero številko vas lahko pokličem?
na katehrro shteveelko vas lahkoh pokleechem?

did you get my message?
a ste dobili moje sporočilo?
a ste dobeelee moye sporrocheelo?

Understanding

številka ne obstaja
the number you have dialled has not been recognized

številka trenutno ni dosegljiva
the number you have dialled is not available at the moment

prosimo pritisnite tipko zvezdica/lojtra
please press the star/hash key

MAKING A CALL

Expressing yourself

hello, this is David Brown (speaking)
dober dan, David Brown pri telefonu
dohbuhrr dan, daveed brrawn prree telefohnoo

hello, could I speak to ..., please?
dober dan, a lahko govorim s/z ..., prosim?
dohbuhrr dan, a lahkoh govorreem s/z ..., prrohseem?

hello, is that Mateja?
dober dan, je tam Mateja?
dohbuhrr dan, ye tam mateya?

do you speak English?
a govorite angleško?
a govorreete anglehshko?

could you speak more slowly, please?
a lahko govorite bolj počasi, prosim?
a lahkoh govorreete bohly pochasee, prrohseem?

I can't hear you, could you speak up, please?
ne slišim vas, a lahko govorite glasneje, prosim?
ne sleesheem vas, a lahkoh govorreete glasneye, prrohseem?

could you tell him/her I called?
a mu/ji lahko poveste, da sem klical *(m)*/klicala *(f)*?
a moo/yee lahkoh povehste, da suhm kleetsaw/kleetsala?

could you ask him/her to call me back?
a mu/ji lahko naročite, naj me pokliče nazaj?
a moo/yee lahkoh narrocheete, nay me pokleeche nazay?

I'll call back later
poklical *(m)*/poklicala *(f)* bom še enkrat kasneje
pokleetsaw/pokleetsala bohm she enkrrat kasneye

my name is … and my number is …
moje ime je … in moja telefonska številka je …
moye eemeh ye … een moya telefohnska shteveelka ye …

do you know when he/she might be available?
a veste, kdaj bo dosegljiv *(m)*/dosegljiva *(f)*?
a vehste, gday boh doseglyeew/doseglyeeva?

thank you, goodbye
hvala, nasvidenje
hvala, nasveedenye

Understanding

kdo kliče?
who's calling?

samo trenutek
hold on

poklicali ste napačno številko
you've got the wrong number

trenutno ga/je ni tukaj
he's/she's not here at the moment

a želite pustiti sporočilo?
do you want to leave a message?

povedal mu/ji bom, da ste klicali
I'll tell him/her you called

prosil ga/jo bom, naj vas pokliče nazaj
I'll ask him/her to call you back

takoj vam ga/jo dam
I'll just hand you over to him/her

PROBLEMS

Expressing yourself

I don't know the code
ne poznam področne kode
ne poznam podrrohchne kohde

it's engaged
zasedeno je
zasehdeno ye

there's no reply
ni odgovora
nee odgovorra

I couldn't get through
nisem mogel *(m)*/mogla *(f)* dobiti zveze
neesuhm mohgew/mogla dobeetee zvehze

I don't have much credit left on my phone
nimam več veliko denarja na telefonu
neemam vech veleeko denarrya na telefohnoo

we're about to get cut off
zveza bo kmalu prekinjena
zvehza boh kmaloo prrekeenyena

the reception's really bad
sprejem je zelo slab
sprreyem ye zelo slap

I can't get a signal
ne morem najti signala
ne mohrrem naytee seegnala

Understanding

komaj vas slišim
I can hardly hear you

povezava je slaba
it's a bad line

Some informal expressions

poklopiti slušalko to hang up on someone
se slišimo we'll be in touch
mobi, mobitel mobile

HEALTH

In case of a medical emergency call 112 for an ambulance. You can also go to the casualty department (**urgenca**) in a hospital (**bolnišnica**), or a health centre (**zdravstveni dom**) in a large town or to a doctor's surgery (**ordinacija**). A European Health Insurance Card is valid in Slovenia, but make sure you have private medical insurance and always obtain a receipt for your insurance company.

In Slovenia a distinction is made between a chemist's shop (**lekarna**) and a drugstore (**drogerija**). A chemist's sells prescription drugs and medicines as well as some personal hygiene products, baby food and contraceptives. A drugstore will sell, cosmetics, toiletries, camera film and household products.

The basics

allergy	alergija *alerrgeeya*
ambulance	rešilec *rresheeluhts*
aspirin	aspirin *aspeerreen*
blood	kri *krree*
broken	zlomljen *zlohmlyen*
casualty (department)	urgenca *oorrgehntsa*
chemist's	lekarna *lekarrna*
condom	kondom *kondohm*
dentist	zobozdravnik *(m)*/zobodravnica *(f)* *zobozdrrawneek/zobozdrrawneetsa*
diarrhoea	driska *drreeska*
doctor	zdravnik *(m)*/zdravnica *(f)* *zdrrawneek/zdrrawneetsa*
food poisoning	zastrupitev s hrano *zastrroopeetew s hrrano*
GP	splošni zdravnik *(m)*/splošna zdravnica *(f)* *sploshnee zdrrawneek/sploshna zdrrawneetsa*

gynaecologist	ginekolog (m)/ginekologinja (f) *geenekolohk/geenekolohgeenya*
hospital	bolnišnica *bowneeshneetsa*
infection	okužba *okoozhba*
medicine	zdravilo *zdrraveelo*
operation	operacija *operratseeya*
painkiller	zdravilo proti bolečinam *zdrraveelo prrohtee bolecheenam*
periods	menstruacija *menstrrooatseeya*
plaster	obliž *obleesh*
rash	izpuščaj *eespooshchay*
spot	mozolj *mozohly*
sunburn	sončna opeklina *sohnchna opekleena*
surgical spirit	razkužilo *rraskoozheelo*
tablet	tableta *tablehta*
temperature	temperatura *temperratoorra*
tests	preiskave *prreeeskave*
vaccination	cepljenje *tsehplyenye*
x-ray	rentgen *rrehntgen*
to disinfect	razkužiti *rraskoozheetee*
to faint	omedleti *omedlehtee*
to vomit	bruhati *brroohatee*

Expressing yourself

does anyone have an aspirin/a tampon/a plaster, by any chance?
a ima kdo slučajno aspirin/tampon/obliž?
a eema gdoh sloochayno aspeerreen/tampohn/obleesh?

I need to see a doctor
iti moram k zdravniku
eetee mohrram g zdrrawneekoo

where can I find a doctor?
kje lahko najdem zdravnika?
kyeh lahkoh naydem zdrrawneeka?

I'd like to make an appointment for today
rad bi se naročil (m)/rada bi se naročila (f) za danes
rrad bee se narrohcheew/rrada bee se narrocheela za danuhs

as soon as possible
čim prej
cheem prrey

no, it doesn't matter
ne, ni pomembno
ne, nee pomehmbno

can you send an ambulance to …
a lahko pošljete rešilec v/na …
a lahkoh pohshlyete rresheeluhts oo/na …

I've broken my glasses
zlomil *(m)*/zlomila *(f)* sem si očala
zlomeew/zlomeela suhm see ochala

I've lost a contact lens
izgubil *(m)*/izgubila *(f)* sem kontaktno lečo
eezgoobeew/eezgoobeela suhm kontaktno lehcho

Understanding

ordinacija   doctor's surgery
recept   prescription
urgenca   casualty department

do četrtka je vse zasedeno
there are no available appointments until Thursday

a vam petek ob dveh popoldne odgovarja?
is Friday at 2pm OK?

AT THE DOCTOR'S OR THE HOSPITAL

Expressing yourself

I have an appointment with Dr …
naročen *(m)*/naročena *(f)* sem pri dr. …
narrochen/narrochena suhm prree dohktorryoo …

I don't feel very well
ne počutim se dobro
ne pochooteem se dobrro

I feel very weak
zelo slabo se počutim
zeloh slaboh se pochooteem

I don't know what it is
ne vem, kaj mi je
ne vehm, kay mee ye

I've got a headache
glava me boli
glava me bolee

I've got a sore throat
boli me grlo
bolee me guhrrlo

it hurts
boli
bolee

I feel sick
slabo mi je
slaboh mee ye

it's been three days
pred tremi dnevi
prret trrehmee dnehvee

I've been stung by a bee
pičila me je čebela
peecheela me ye chebehla

I've got toothache/stomachache
boli me zob/trebuh
bolee me zohp/trrehbooh

my back hurts
boli me hrbet
bolee me huhrrbet

it hurts here
tukaj me boli
tookay me bolee

it's got worse
poslabšalo se je
poslapshalo se ye

it started last night
začelo se je včeraj zvečer
zachehlo se ye wchehrray zvechehrr

it's never happened to me before
to se mi ni še nikoli zgodilo
toh se mee nee she neekohlee zgodeelo

I've got a temperature
imam povišano temperaturo
eemam poveeshano temperratoorro

I have asthma
imam astmo
eemam astmo

it itches
srbi
suhrrbee

I have a heart condition
sem srčni bolnik *(m)*/bolnica *(f)*
suhm suhrrchnee bowneek/bowneetsa

I've been on antibiotics for a week and I'm not getting any better
teden en že jemljem antibiotike, a se stanje ni nič izboljšalo
tehduhn en zhe yemlyem anteebeeohteeke, a se stanye nee neech eezbohlyshalo

I'm on the pill
jemljem tablete
yemlyem tablehte

I'm five months pregnant
noseča sem pet mesecev
nosehcha suhm peht mehsetsew

I'm allergic to penicillin
alergičen *(m)*/alergična *(f)* sem na penicilin
alerrgeechuhn/alerrgeechna suhm na peneetseeleen

I've twisted my ankle
zvil *(m)*/zvila *(f)* sem si gleženj
zveew/zveela suhm see glehzhuhny

I fell and hurt my back
padel *(m)*/padla *(f)* sem in si poškodoval *(m)*/poškodovala *(f)* hrbet
padew/padla suhm een see poshkodovaw/poshkodovala huhrrbet

I've had a blackout
omedlel *(m)*/omedlela *(f)* sem
omedlehw/omedlehla suhm

I've lost a filling
izgubil *(m)*/izgubila *(f)* sem plombo
eezgoobeew/eezgoobeela suhm plohmbo

is it serious?
a je resno?
a ye rrehsno?

is it contagious?
a je nalezljivo?
a ye nalezlyeevo?

how is he/she?
kako je on/ona?
kakoh ye on/ona?

how much do I owe you?
koliko sem dolžan *(m)*/dolžna *(f)*?
kohleeko suhm dowzhan/dowzhna?

can I have a receipt so I can get the money refunded?
a lahko dobim račun za povrnitev stroškov?
a lahkoh dobeem rachoon za povrrneetew strrohshkow?

usedite se v čakalnici
take a seat in the waiting room

kje vas boli?
where does it hurt?

globoko vdihnite
take a deep breath

lezite, prosim
lie down, please

a vas boli, ko pritisnem tukaj?
does it hurt when I press here?

a ste bili cepljeni proti ...?
have you been vaccinated against …?

a ste alergični na …?
are you allergic to …?

a jemljete kakšna druga zdravila?
are you taking any other medication?

napisal *(m)*/**napisala** *(f)* **vam bom recept**
I'm going to write you a prescription

moralo bi se izboljšati v nekaj dneh
it should clear up in a few days

hitro bi se moralo pozdraviti
it should heal quickly

potrebovali boste operacijo
you're going to need an operation

pridite čez en teden na ponoven pregled
come back and see me in a week

AT THE CHEMIST'S

Expressing yourself

I'd like a box of plasters, please
rad *(m)*/rada *(f)* bi zavoj obližev
*rrad/rr**a**da bee zav**o**y obl**ee**zhew*

HEALTH

I need something for a cough/a bad cold/an insect bite
potrebujem nekaj za kašelj/hud prehlad/pik insekta
potrreboooyem nehkay za kashuhly/hoot prrehlat/peek eensehkta

I'm allergic to aspirin
alergičen (m)/alergična (f) sem na aspirin
alerrgeechuhn/alerrgeechna suhm na aspeerreen

I need the morning-after pill
potrebujem postkoitalno kontracepcijo
potrreboooyem pohstkoheetalno kontrratsehptseeyo

I'd like to try a homeopathic remedy
rad bi poskusil (m)/rada bi poskusila (f) homeopatsko zdravilo
rrad bee poskooseew/rrada bee poskooseela homeopatsko zdrraveelo

I'd like a bottle of solution for soft contact lenses
rad (m)/rada (f) bi raztopino za mehke kontaktne leče
rrad/rrada bee rrastopeeno za mehke kontaktne lehche

Understanding

kapsula	capsule
krema	cream
mazilo	ointment
možni stranski učinki	possible side effects
nanesite	apply
nasprotni učinki	contra-indications
prašek	powder
samo na recept	available on prescription only
sirup	syrup
svečke	suppositories
tableta	tablet

vzemite trikrat na dan pred jedjo
take three times a day before meals

Some informal expressions

obležati to be stuck in bed
imeti grozen prehlad to have a stinking cold
stemnilo se mi je I passed out

HEALTH

PROBLEMS AND EMERGENCIES

Some useful phone numbers are: police (**policija**) 113, fire brigade (**gasilci**) 112, ambulance (**rešilec**) 112. If you intend to drive in Slovenia you should first obtain an International Driving Permit if you are not in possession of a new licence with your photo and you should also get international insurance. A reflector warning triangle must be carried and headlights should also be used in the daytime. If you break down on the motorway use the nearest telephone to call for help or call **AMZS** (the Slovenian Automobile Association) on 1987. Speed limits are shown in kilometres – be sure to observe them in town centres. Street parking is restricted and you must obtain a parking ticket which should be left prominently displayed on your dashboard, otherwise your car could be clamped or towed away.

The basics

accident	nesreča *nesrrehcha*
ambulance	rešilec *rresheeluhts*
broken	zlomljen *zlohmlyen*
coastguard	obalna straža *obalna strrazha*
disabled	invaliden *eenvaleeduhn*
doctor	zdravnik *zdrrawneek*
emergency	nujen primer *nooyuhn prreemehrr*
fire	ogenj *oguhny*
fire brigade	gasilci *gaseeltsee*
hospital	bolnišnica *bowneeshneetsa*
ill	bolan *(m)*/bolna *(f) bolan/bolna*
injured	poškodovan *poshkodovan*
late	pozen *pozuhn*
police	policija *poleetseeya*

Expressing yourself

can you help me?
a mi lahko pomagate?
a mee lahkoh pomagate?

help!
na pomoč!
na pomohch!

fire!
gori!
gorree!

be careful!
bodite previdni!
bodeete prreveednee!

it's an emergency!
gre za nujen primer!
grreh za nooyuhn prreemehrr!

there's been an accident
zgodila se je nesreča
zgodeela se ye nesrrehcha

could I borrow your phone, please?
a si lahko izposodim vaš telefon, prosim?
a see lahkoh eesposohdeem vash telefohn, prrohseem?

does anyone here speak English?
a kdo tukaj govori angleško?
a gdo tookay govorree anglehshko?

I need to contact the British consulate
stopiti moram v stik s predstavništvom Velike Britanije
stopeetee mohrram oo steek s prretstawneeshtvom veleeke brreetaneeye

where's the nearest police station?
kje je najbližja policijska postaja?
kyeh ye naybleezhya poleetseeyska postaya?

what should I do?
kaj naj storim?
kay nay storreem?

my passport/credit card has been stolen
ukradli so mi potni list/kreditno kartico
ookrradlee so mee pohtnee leest/krredeetno karrteetso

my bag's been snatched
ukradli so mi torbico
ookrradlee so mee tohrrbeetso

I've lost ...
izgubil (m)/izgubila(f) sem ...
eezgoobeew/eezgoobeela suhm ...

I've been attacked
napadli so me
napadlee so me

!

my son/daughter is missing
pogrešam sina/hčerko
pogrrehsham seena/hchehrrko

my car's been towed away
odpeljali so mi avto
otpelyalee so mee awto

I've broken down
avto se mi je pokvaril
awto se mee ye pokvarreew

my car's been broken into
vlomili so mi v avto
wlomeelee so mee oo awto

there's a man following me
nekdo me zasleduje
negdoh me zasledooye

is there disabled access?
a je tam dostop za invalide?
a ye tam dostop za eenvaleede?

can you keep an eye on my things for a minute?
a lahko za minuto popazite na moje stvari?
a lahkoh za meenooto popazeete na moye stvarree?

he's drowning, get help!
utaplja se, pokličite pomoč!
ootaplya se, pokleecheete pomohch!

Understanding

gorska reševalna služba	mountain rescue
kopanje na lastno odgovornost	bathing at one's own risk
ne deluje	out of order
policija	police
pozor, hud pes	beware of the dog
zasilni izhod	emergency exit

POLICE

Expressing yourself

I want to report something stolen
rad bi prijavil *(m)*/rada bi prijavila *(f)* krajo
rrad bee preeyaveew/rrada bee preeyaveela krrayo

I need a document from the police for my insurance company
potrebujem potrdilo od policije za zavarovalnico
potrrebooyem potuhrrdeelo ot poleetseeye za zavarrovalneetso

Understanding

Filling in forms

priimek	surname
ime	first name
naslov	address
poštna številka	postcode
država	country
narodnost	nationality
rojstni datum	date of birth
rojstni kraj	place of birth
starost	age
spol	sex
trajanje bivanja	duration of stay
datum prihoda/odhoda	arrival/departure date
poklic	occupation
številka potnega lista	passport number

za ta predmet morate plačati carino
there's customs duty to pay on this item

odprite to torbo, prosim
would you open this bag, please?

kaj manjka?
what's missing?

kje stanujete?
where are you staying?

izpolnite tale obrazec, prosim
would you fill in this form, please?

kdaj se je to zgodilo?
when did this happen?

a ga/jo/ga lahko opišete?
can you describe him/her/it?

podpišite se tukaj, prosim
would you sign here, please?

> **Some informal expressions**
> **plavi angel** policeman
> **okradli so me** I've been robbed

Slovene distinguishes between two periods in the morning: **zjutraj**, which runs from 6am until 9am, and **dopoldne**, which runs from 9am until 12 noon.

The basics

after	po *po*
already	že *zhe*
always	vedno *vehdno*
at lunchtime	v času kosila *oo chasoo koseela*
at the beginning/end of	na začetku/na koncu *na zachehtkoo/ na kontsoo*
at the moment	v tem trenutku *oo tehm trrenootkoo*
before	prej *prrey*
between ... and ...	med ... in ... *met ... een ...*
day	dan *dan*
during	med *met*
early	zgodaj *zgohday*
evening	večer *vechehrr*
for a long time	za dolgo časa *za dowgo chasa*
from ... to ...	od ... do ... *ot ... do ...*
from time to time	od časa do časa *ot chasa do chasa*
in a little while	kmalu *kmaloo*
in the middle of	sredi *srrehdee*
last	zadnji *zadnyee*
late	pozno *pozno*
midday	poldan *powdan*
midnight	polnoč *pownoch*
morning	jutro *yootrro*
month	mesec *mehsuhts*
never	nikoli *neekohlee*
next	naslednji *naslehdnyee*
night	noč *nohch*

TIME AND DATE

not yet	ne še *ne she*
now	sedaj *seday*
occasionally	včasih *wchaseeh*
often	pogosto *pogohsto*
rarely	redko *rrehtko*
recently	pred kratkim *prret krratkeem*
since	od *ot*
sometimes	včasih *wchaseeh*
soon	kmalu *kmaloo*
still	še vedno *she vehdno*
straightaway	takoj *takohy*
until	do *do*
week	teden *tehduhn*
weekend	konec tedna *konuhts tehdna,* vikend *veekent*
year	leto *lehto*

Expressing yourself

see you soon!
se vidiva kmalu!
se veedeeva kmaloo!

see you later!
se vidiva kasneje!
se veedeeva kasneye!

see you on Monday!
se vidiva v ponedeljek!
se veedeeva oo ponedehlyuhk!

have a good weekend!
lep vikend!
lep veekent!

sorry I'm late
oprostite za zamudo
oprrosteete za zamoodo

I haven't been there yet
nisem še bil *(m)*/bila *(f)* tam
neesuhm she beew/beela tam

I haven't had time to …
nisem imel *(m)*/imela *(f)* časa …
neesuhm eemehw/eemehla chasa …

I've got plenty of time
imam veliko časa
eemam veleeko chasa

I'm in a rush
mudi se mi
moodee se mee

hurry up!
pohitite!
poheeteete!

just a minute, please
samo minuto, prosim
samoh meenooto, prrohseem

I had a late night
spat sem šel *(m)*/šla *(f)* pozno
spat suhm shew/shla pozno

113

I got up very early
zelo zgodaj sem vstal *(m)*/vstala *(f)*
zeloh zgohday suhm wstaw/wstala

I waited ages
čakal *(m)*/čakala *(f)* sem celo večnost
chakaw/chakala suhm tsehlo vehchnost

I have to get up very early tomorrow to catch my plane
jutri moram vstati zelo zgodaj, da ujamem letalo
yootrree mohrram wstatee zeloh zgohday, da ooyamem letalo

we only have four days left
imamo samo še štiri dni
eemamo samoh she shteerree dnee

THE DATE

How to express dates:

Dates are expressed by using the nominative or genitive (see Grammar section) of the ordinal number and month, eg:

kateri datum/dan je danes? or **katerega smo danes?** what is today's date?
danes je sedmi maj or **danes smo sedmega maja** today is the 7th of May.

When stating the date on which an event takes place, use only the genitive of the ordinal number (and month) eg:

lahko prideš osmega (aprila)? can you come on the 8th (of April)?

Ordinal numbers are also used for centuries as in English eg:

prvo/dvajseto stoletje the first/twentieth century.

The basics

... ago	pred ... *prret ...*
at the beginning of	na začetku *na zachehtkoo*
at the end of	na koncu *na kontsoo*
in the middle of	sredi *srrehdee*
in two days' time	v dveh dneh *oo dvehh dnehh*
last night	sinoči *seenohchee*
the day after tomorrow	pojutrišnjem *poyootrreeshnyem*
the day before yesterday	predvčerajšnjim *prredwchehrrayshnyeem*
today	danes *danuhs*
tomorrow	jutri *yootrree*
tomorrow morning/afternoon/ evening	jutri dopolne/popoldne/zvečer *yootrree dopowdne/popowdne/ zvechehrr*
yesterday	včeraj *wchehrray*
yesterday morning/afternoon/ evening	včeraj dopolne/popoldne/zvečer *wchehrray dopowdne/popowdne/ zvechehrr*

Expressing yourself

I was born in 1975
rojen sem bil *(m)*/rojena sem bila *(f)* leta 1975
rroyen suhm beew/rroyena suhm beela lehta 1975

I came here a few years ago
sem sem prišel *(m)*/prišla *(f)* pred nekaj leti
suhm suhm prreeshew/prreeshla prred nehkay lehtee

I spent a month here last summer
lani poleti sem tukaj preživel *(m)*/preživela *(f)* mesec dni
lanee polehtee suhm tookay prrezheevehw/prrezheevehla mehsuhts dnee

I was here last year at the same time
tukaj sem bil *(m)*/bila *(f)* lani ob istem času
tookay suhm beew/beela lanee ob eestem chasoo

what's the date today?
katerega smo danes?
katehrrega smo danuhs?

what day is it today?
kateri dan je danes?
katehrree dan ye danuhs?

it's the 1st of May
danes je prvi maj
danuhs ye puhrrvee may

I'm staying until Sunday
ostal *(m)*/ostala *(f)* bom do nedelje
ostaw/ostala bohm do nedehlye

early tomorrow morning
jutri zjutraj
yootrree zyootrray

we're leaving tomorrow
jutri odhajamo
yootrree othayamo

I already have plans for Tuesday
za torek že imam načrte
za torrek zhe eemam nachuhrrte

Understanding

enkrat/dvakrat	once/twice
trikrat na uro/dan	three times an hour/a day
vsak dan	every day
vsak ponedeljek/ob ponedeljkih	every Monday

grad je bil zgrajen sredi devetnajstega stoletja
the castle was built in the mid-nineteenth century

poleti je tukaj velika gneča
it gets very busy here in the summer

kdaj odpotujete?
when are you leaving?

kako dolgo boste ostali?
how long are you staying?

THE TIME

Telling the time

The 12-hour clock is used in everyday speech while timetables and radio and TV schedules use the 24-hour clock. To answer the question

koliko je ura? what time is it? use the nominative case (see Grammar section) of the cardinal number for whole hours, eg:

ura je ena/tri/deset it is one/three/ten o'clock.

For half-hours use **pol** + the genitive of the number, eg:

pol dveh/treh half-past one/two

Note that **pol** refers to half an hour before the indicated hour and not after the hour, as in English. Thus **pol dveh** (dveh = two) means half-past one and not half-past two.

To say "at + time" use **ob** plus the locative (see Grammar section) of the cardinal number, eg:

ob dveh/petih at two/five o'clock

To express "at half-past…" use the construction **ob** + **pol** + locative (see Grammar section) of the cardinal number, eg:

ob pol petih/sedmih at half-past four/six

To express quarter-hours or minutes use **ob** with the undeclined form of the time phrase, eg:

ob deset/četrt do sedmih at ten to/quarter to seven
ob deset čez tri at ten past three

Some informal expressions

točno ob dveh at 2 o'clock on the dot
malo čez osem je it's just gone 8 o'clock

The basics

early	zgodaj *zgohday*
half an hour	pol ure *pow oorre*
in the afternoon	popoldne *popowdne*

in the evening	zvečer *zvechehrr*
in the morning	(between 6am and 9am) zjutraj *zyootrray*; (between 9am and 12 noon) dopoldne *dopowdne*
late	pozno *pozno*
on time	točno *tohchno*
quarter of an hour	četrt ure *chetuhrrt oorre*
three quarters of an hour	tri četrt ure *trree chetuhrrt oorre*

Expressing yourself

what time is it?
koliko je ura?
kohleeko ye oorra?

excuse me, have you got the time, please?
oprostite, a imate uro?
oprrosteete, a eemate oorro?

it's exactly three o'clock
točno tri (je)
tohchno trree (ye)

it's nearly one o'clock
skoraj ena (je)
skorray ena (ye)

it's half past one
pol dveh (je)
pow dvehh (ye)

it's ten past one
deset čez eno (je)
deseht chez eno (ye)

it's a quarter past one
četrt čez eno (je)
chetuhrrt chez eno (ye)

it's a quarter to one
četrt do enih (je)
chetuhrrt do eneeh (ye)

it's twenty past twelve
dvajset čez dvanajst (je)
dvayset chez dvanayst (ye)

it's twenty to twelve
dvajset do dvanajstih (je)
dvayset do dvanaysteeh (ye)

I arrived at about two o'clock
prišel (m)/prišla (f) sem okoli dveh
prreeshew/prreeshla suhm okohlee dvehh

I set my alarm for nine
budilko sem nastavil (m)/nastavila (f) ob devetih
boodeelko suhm nastaveew/nastaveela ob deveteeh

I waited twenty minutes
čakal *(m)*/čakala *(f)* sem dvajset minut
chakaw/chakala suhm dvayset meenoot

the train was fifteen minutes late
vlak je imel petnajst minut zamude
wlak ye eemehw pehtnayst meenoot zamoode

I got home an hour ago
domov sem prišel *(m)*/prišla *(f)* pred eno uro
domow suhm prreeshew/prreeshla prred eno oorro

shall we meet in half an hour?
se dobimo čez pol ure?
se dobeemo ches pow oorre?

I'll be back in a quarter of an hour
vrnem se čez četrt ure
vuhrrnem se ches chetuhrrt oorre

there's a three-hour time difference between … and …
med … in … je tri ure časovne razlike
met … in … ye trree oorre chasowne rrazleeke

Understanding

odide vsako polno uro in pol čez polno uro
departs on the hour and the half-hour

odprto od desetih do štirih
open from 10am to 4pm

na sporedu je vsak večer ob sedmih
it's on every evening at seven

traja približno uro in pol
it lasts around an hour and a half

odpre se zjutraj ob desetih
it opens at ten in the morning

0 nič *neech*	**50** petdeset *pehddeset*
1 ena *ena*	**60** šestdeset *shehsddeset*
2 dve *dveh*	**70** sedemdeset *sehduhmdeset*
3 tri *trree*	**80** osemdeset *ohsuhmdeset*
4 štiri *shteerree*	**90** devetdeset *devehddeset*
5 pet *peht*	**100** sto *stoh*
6 šest *shehst*	**101** sto ena *stoh ena*
7 sedem *sehduhm*	**200** dvesto *dvehsto*
8 osem *ohsuhm*	**500** petsto *pehtsto*
9 devet *deveht*	**1000** tisoč *teesoch*
10 deset *deseht*	**2000** dva tisoč *dva teesoch*
11 enajst *enayst*	**10000** deset tisoč *deseht teesoch*
12 dvanajst *dvanayst*	**1000000** milijon *meeleeyohn*
13 trinajst *trreenayst*	
14 štirinajst *shteerreenayst*	**first** prvi *puhrrvee*
15 petnajst *pehtnayst*	**second** drugi *drroogee*
16 šestnajst *shehstnayst*	**third** tretji *trrehtyee*
17 sedemnajst *sehduhmnayst*	**fourth** četrti *chetuhrrtee*
18 osemnajst *ohsuhmnayst*	**fifth** peti *petee*
19 devetnajst *devehtnayst*	**sixth** šesti *shestee*
20 dvajset *dvayset*	**seventh** sedmi *sedmee*
21 enaindvajset *enaeendvayset*	**eighth** osmi *osmee*
22 dvaindvajset *dvaeendvayset*	**ninth** deveti *devetee*
30 trideset *trreedeset*	**tenth** deseti *desetee*
35 petintrideset *pehteentrreedeset*	**twentieth** dvajseti *dvaysetee*
40 štirideset *shteerreedeset*	

20 plus 3 equals 23

20 minus 3 equals 17
dvajset plus tri je triindvajset
dvayset ploos trree ye trreeeendvayset

dvajset minus tri je sedemnajst
dvayset meenoos trree ye sehduhmnayst

20 divided by 4 equals 5
dvajset deljeno s štiri je pet
dvayset delyeno s shteerree ye peht

20 multiplied by 4 equals 80
dvajset krat štiri je osemdeset
dvayset krrat shteerree ye ohsuhmdeset

NUMBERS

DICTIONARY

ENGLISH-SLOVENE

A

a *see grammar*
abbey opatija
able: to be able to lahko; **I am unable to** ne morem
about o; **to be about to do** pravkar nameravati
above nad
abroad v tujini
accept sprejeti
access dostop **10**
accident nesreča **31, 109**
accommodation nastanitev
across čez
adaptor adaptor
address naslov
admission vstopnina
advance: in advance vnaprej
advice nasvet; **to ask someone's advice** prositi za nasvet
advise svetovati
aeroplane letalo
after po; potem ko; **after lunch** po kosilu; **after I come back** potem ko se bom vrnil
afternoon popoldan
after-sun (cream) krema za po sončenju
again znova, še enkrat
against proti
age starost
air zrak

air conditioning klimatska naprava
airline letalska proga
airmail letalska pošta
airport letališče
alarm clock budilka
alcohol alkohol
alive živ
all ves; **all day** ves dan; **all week** ves teden; **all the better** tem bolje; **all the same** vseeno; **all the time** vedno; **all inclusive** vse vključeno
allergic alergičen **48, 105**
almost skoraj
already že
also tudi
although čeprav
always vedno
ambulance rešilec **103**
American *(adj)* ameriški
American *(n)* Američan *(m)*/ Američanka *(f)*
among med
anaesthetic anestetik
and in
animal žival
ankle gleženj
anniversary obletnica
another drugačen
answer *(n)* odgovor
answer *(v)* odgovoriti
answering machine telefonska tajnica

ant mravlja
antibiotics antibiotik
anybody, anyone kdorkoli, vsak
anything karkoli
anyway vendar
appendicitis vnetje slepiča
appointment sestanek; **to make an appointment** dogovoriti se za sestanek; *(at the doctor, hairdresser)* naročiti se **102, 103**; **I have an appointment with** imam sestanek s/z; *(doctor, hairdresser)* naročen *(m)*/naročena *(f)* sem pri
April april
area območje; **in the area** v območju
arm roka
around okoli
arrange urediti; **to arrange to meet** dogovoriti se za srečanje
arrival prihod
arrive priti
art umetnost
artist umetnik *(m)*/umetnica *(f)*
as kot; **as soon as possible** čim prej; **as soon as** takoj ko; **as well as** tako kot
ashtray pepelnik
ask vprašati; *(for help)* prositi; **to ask a question** vprašati
aspirin aspirin
asthma astma
at ob; pri; na; v; **at 10 o clock** ob desetih; **I live at my parents' house** živim pri starših; **she is at the concert** ona je na koncertu; **he is at the cinema** on je v kinu

attack *(v)* napasti **109**
August avgust
Austria Avstrija
autumn jesen
available razpoložljiv
avenue avenija
away: 10 km away deset kilometrov oddaljen/stran

B

baby dojenček
baby's bottle steklenička
back *(rear)* zadnja stran; *(part of the body)* hrbet; **at the back of** za
backpack nahrbtnik
bad slab; **it's not bad** ni slabo
bag torba
baggage prtljaga
bake peči
baker's pekarna
balcony balkon
bandage obveza
bank banka **90**
banknote bankovec
bar bar
barbecue raženj, žar
bath kopel; **to have a bath** kopati se
bath towel kopalna brisača
bathroom kopalnica
battery baterija **31**
be biti
beach plaža
beach umbrella senčnik
beard brada
beautiful lep

because ker; **because of** zaradi
bed postelja
bee čebela
before *(adv)* prej; *(prep)* pred
begin začeti
beginner začetnik *(m)*/začetnica *(f)*
beginning začetek; **at the beginning** na začetku
behind *(adv)* zadaj; *(prep)* za
believe verjeti
below *(adv)* spodaj; *(prep)* pod
beside poleg
best: (the) best najboljši
better boljši; **to get better** okrevati; **it's better to …** bolje je …
between med
bicycle kolo
bicycle pump tlačilka za kolo
big velik
bike kolo
bill račun **50**
bin koš
binoculars daljnogled
birthday rojstni dan
bit košček
bite *(n)* pik
bite *(v)* pičiti
black črn
blackout: I've had a blackout omedlel *(m)*/omedlela *(f)* sem
blanket odeja
bleed krvaveti
bless: bless you! na zdravje!
blind slep
blister žulj
blood kri
blood pressure krvni pritisk

blue moder
board deska; *(for sport)* bord
boarding *(plane)* vkrcanje
boat čoln; *(ship)* ladja
body telo
book *(n)* knjiga
book *(v)* rezervirati **61**
bookshop knjigarna
boot škorenj; *(of car)* prtljažnik
borrow izposoditi si
botanical garden botanični vrt
both oboje; **both of us** oba
bottle steklenica **48**
bottle opener odpirač za steklenice
bottom dno; **at the bottom (of)** na dnu
bowl posoda
bra modrček
brake *(n)* zavora
brake *(v)* zavirati
bread kruh
break *(plate, cup)* razbiti; *(arm, leg)* zlomiti
break down pokvariti se **31, 110**
breakdown okvara motorja
breakdown service vlečna služba
breakfast zajtrk **38**; **to have breakfast** zajtrkovati
bridge most
bring prinesti
brochure brošura
broken *(plate, cup)* razbit; *(arm, leg)* zlomljen
bronchitis bronhitis
brother brat
brown rjav

brush *(for hair)* krtača; *(for teeth)* ščetka
build graditi
building zgradba
bump oteklina
bumper odbijač
buoy boja
burn *(n)* opeklina
burn *(v)* goreti; **to burn oneself** speči se
burst *(adj)* počen
burst *(v) (tyre)* počiti
bus avtobus **29**
bus route avtobusna proga
bus station avtobusna postaja
bus stop avtobusno postajališče
busy zaposlen
but ampak
butcher's mesar
buy kupiti **24, 79, 81**
by z; **by car** z avtom
bye! adijo

C

café kavarna
call *(n)* klic
call *(v)* poklicati **99**; **to be called** imenovati se
call back poklicati nazaj **99**
camera fotoaparat
camper avtodom
camping kampiranje; **to go camping** iti kampirat
camping stove gorilnik
campsite kamp **42**
can *(n) (for food)* konzerva; *(for drink)* pločevinka

can *(v)* lahko; **I can't** ne morem
can opener odpirač za konzerve
cancel odpovedati
candle sveča
car avto
car park parkirišče
caravan počitniška prikolica
card kartica
carry nositi
case: in case of … v primeru …
cash gotovina; **to pay cash** plačati z gotovino **81**
cashpoint bankomat **90**
castle grad
catch ujeti
cathedral katedrala
CD CD, zgoščenka
cemetery pokopališče
centimetre centimeter
centre center, središče
century stoletje
chair stol
chairlift sedežnica
change *(n)* sprememba; *(money)* drobiž **80, 81**
change *(v)* spremeniti; *(money, clothes)* zamenjati **90**
changing room garderoba **83**
channel kanal
chapel kapela
charge *(n)* cena
charge *(v)* (za)računati
cheap poceni
check preveriti
check in prijaviti se
check-in prijava **26**
checkout odjaviti se
cheers! na zdravje!

chemist's lekarna
cheque ček
chest prsi
child otrok
chilly mrzel, hladen
chimney dimnik
chin brada
Christmas božič
church cerkev
cigar cigara
cigarette cigareta
cigarette paper cigaretni papir
cinema kino
circus cirkus
city mesto
clean *(adj)* čist
clean *(v)* čistiti
cliff klif
climate podnebje
climbing plezanje
cloakroom garderoba
close *(v)* zapreti
closed zaprt
closing time zapiralni čas
clothes oblačila
clutch sklopka
coach avtobus
coast obala
coathanger obešalnik
cockroach ščurek
coffee kava **49**
coil *(contraceptive)* maternični
  vložek, spirala
coin kovanec
Coke® kokakola
cold *(adj)* mrzel; **it's cold** mrzlo
  je; **I'm cold** zebe me
cold *(n)* mraz; *(illness)* prehlad; **to**

have a cold biti prehlajen
collection zbirka
colour barva **83**
comb glavnik
come priti
come back vrniti se
come in vstopiti
come out priti ven
comfortable udoben
company družba
compartment *(on train)* kupe
complain pritoževati se
comprehensive insurance
  polno zavarovanje
computer računalnik
concert koncert
concert hall koncertna dvorana
concession popust **24**, **67**
condom kondom
confirm potrditi **26**
connection zveza **26**
constipated zaprt
consulate konzulat **109**
contact *(n)* stik
contact *(v)* navezati stike **97**
contact lenses kontaktne leče
contagious nalezljiv
contraceptive *(n)* sredstvo proti
  zanositvi
cook kuhati
cooked kuhan
cooking kuhanje; **to do the
  cooking** kuhati
cool hladen
corkscrew odpirač za steklenice
correct pravilen
cost cena
cotton bombaž

cotton bud vatirana palčka
cotton wool vata
cough (n) kašelj; **to have a cough** kašljati
cough (v) kašljati
count šteti
country dežela
countryside podeželje
course: of course seveda
cover (n) prevleka
cover (v) pokriti
credit card kreditna kartica **37**
Croatia Hrvaška
cross (n) križ
cross (v) (road) prečkati
cruise križarjenje
cry jokati
cup skodelica
currency valuta
customs carina
cut rezati; **to cut oneself** porezati se
cycle path kolesarska pot

D

damaged poškodovan
damp vlažen
dance (n) ples
dance (v) plesati
dangerous nevaren
dark temen; **dark blue** temno moder
date (from) datirati (iz)
date (n) datum; **out of date** zastarel
date of birth rojstni datum
daughter hčerka

day dan; **the day after tomorrow** pojutrišnjem; **the day before yesterday** predvčerajšnjim
dead mrtev
deaf gluh
dear drag
debit card debetna kartica
December december
declare izjaviti; (at customs) ocariniti
deep globok
degree stopinja
delay zamuda
delayed: to be delayed imeti zamudo
deli delikatesa
dentist zobozdravnik
deodorant deodorant
department oddelek
department store veleblagovnica
departure odhod
depend: that depends (on) to je odvisno (od)
deposit (n) depozit, polog
dessert sladica **47**
develop: to get a film developed razviti film
diabetes sladkorna bolezen
dialling code področna koda
diarrhoea: to have diarrhoea imeti drisko
die umreti
diesel dizel, diesel
diet dieta; **to be on a diet** biti na dieti
different (from) drugačen
difficult težek

digital camera digitalen fotoaparat

dinner večerja; **to have dinner** večerjati

direct neposreden; *(journey)* brez prestopanja

direction smer; **to have a good sense of direction** imeti dober občutek za smer

directory telefonski imenik

directory enquiries telefonske informacije

dirty *(adj)* umazan

disabled invaliden **110**

disaster katastrofa, nesreča

disco disko

discount popust **67**; **to give someone a discount** dati popust

discount fare vozovnica s popustom, karta s popustom

dish jed; **dish of the day** dnevna ponudba

dish towel kuhinjska krpa

dishes posoda; **to do the dishes** pomiti posodo

dishwasher pomivalni stroj

disinfect razkužiti, dezinficirati

disposable za enkratno uporabo

disturb motiti; **do not disturb** ne motite

dive potapljati se

diving: to go diving iti se potapljat

do delati, početi; *(at beginning of a question)* a/ali; **do you have a light?** a/ali imate ogenj?

doctor zdravnik **102**

door vrata

downstairs spodaj

draught beer točeno pivo

dress: to get dressed obleči se

dressing preliv

drink *(n)* pijača; **to go for a drink** iti na pijačo **45**; **to have a drink** popiti kaj

drink *(v)* piti

drinking water pitna voda

drive *(v)* voziti

driving licence vozniško dovoljenje

drops kapljice

drown utopiti

drugs droge

drunk pijan

dry *(adj)* suh

dry *(v)* sušiti

dry cleaner's kemična čistilnica

duck raca

during med; **during the week** med tednom

dustbin smetnjak

duty chemist's dežurna lekarna

##

each vsak; **each one** vsak posamezen

ear uho

early zgodaj

earplugs zamaški za ušesa

earrings uhani

earth zemlja

east vzhod; **in the east** na vzhodu; **(to the) east of** vzhodno od

Easter velika noč
easy lahek
eat jesti **44**
economy class ekonomski razred
Elastoplast® obliž
electric električen
electric shaver električni brivnik
electricity elektrika
electricity meter števec za elektriko
e-mail elektronska pošta, e-mail **95**
e-mail address elektronski naslov, e-naslov **18, 94**
embassy ambasada
emergency nujen primer **109**; **in an emergency** v sili
emergency exit zasilen izhod
empty prazen
end konec; **at the end of** na koncu; **at the end of the street** na koncu ulice
engaged zaseden; *(to be married)* zaročen
engine motor
England Anglija
English *(adj)* angleški
English *(n) (language)* angleščina
Englishman Anglež
Englishwoman Angležinja
enjoy: enjoy your meal! dober tek; **to enjoy oneself** uživati
enough dovolj; **that's enough** to je dovolj
entrance vhod
envelope kuverta
epileptic epileptičen
equipment oprema

espresso ekspreso
euro evro
Europe Evropa
European *(adj)* evropski
European *(n)* Evropejec *(m)*/ Evropejka *(f)*
evening večer; **in the evening** zvečer
every vsak; **every day** vsak dan
everybody, everyone vsi
everywhere povsod
except razen
exceptional izjemen
excess presežek
exchange menjava
exchange rate menjalniški tečaj
excuse *(n)* opravičilo
excuse *(v) (justify)* opravičiti; *(forgive)* oprostiti; **excuse me** oprostite
exhaust izčrpati
exhaust pipe izpušna cev
exhausted izčrpan
exhibition razstava
exit izhod
expensive drag
expiry date rok uporabe
express *(adj)* hiter, ekspresen
expresso ekspreso
extra *(adj)* dodaten
eye oko

face obraz
facecloth brisača za obraz
fact dejstvo; **in fact** dejansko
faint omedleti

fair *(n)* sejem

fall *(v)* pasti; **to fall asleep** zaspati; **to fall ill** zboleti

family družina

fan *(supporter)* navijač; *(electric)* ventilator

far daleč; **far from** daleč od

fare karta, vozovnica

fast hiter

fast-food restaurant restavracija s hitro hrano

fat debel

father oče

favour usluga; **to do someone a favour** narediti nekomu uslugo

favourite najljubši

fax faks

February februar

fed up: to be fed up (with) imeti dovolj

feel počutiti se **103**; **to feel good/bad** počutiti se dobro/slabo

feeling občutek

ferry trajekt

festival festival

fetch: to go and fetch someone/something iti po nekoga/nekaj

fever vročina; **to have a fever** imeti vročino

few nekaj

fiancé zaročenec

fiancée zaročenka

fight pretep

fill polniti

fill in, fill out *(form)* izpolniti

fill up: to fill up with petrol napolniti z gorivom

filling *(in tooth)* plomba, zalivka

film film **87**

finally končno

find najti

fine *(adj)* dober; **I'm fine** v redu sem

fine *(n)* kazen

finger prst

finish *(v)* končati

fire ogenj; **fire!** gori!

fire brigade gasilci

fireworks ognjemet

first prvi; **first (of all)** najprej

first class prvi razred

first floor prvo nadstropje

first name ime

fish *(n)* riba

fish shop ribarnica

fishmonger's ribarnica

fitting room garderoba

fizzy peneč

flash bliskavica, fleš

flask termovka

flat *(adj)* sploščen; **flat tyre** prazna guma

flat *(n)* stanovanje

flavour vonj

flaw napaka

flight let

flip-flops japonke

floor tla; *(storey)* nadstropje; **on the floor** na tleh

flu gripa

fly *(n)* muha

fly *(v)* leteti

food hrana

food poisoning zastrupitev s hrano

foot noga
football nogomet
for za; **for an hour** za eno uro
forbidden prepovedan
forecast napoved
forehead čelo
foreign tuj
foreigner tujec *(m)*/tujka *(f)*
forest gozd
fork vilice
former prejšnji
forward *(adj)* sprednji
four-star petrol super 95
fracture zlom
fragile lomljiv
free brezplačen, zastonj **65**
freezer zamrzovalnik
Friday petek
fridge hladilnik
fried ocvrt
friend prijatelj *(m)*/prijateljica *(f)*
from od; iz; z/s; **from … to …** od
    … do …; **I am from England**
    sem iz Anglije
front sprednji del; **in front**
    spredaj; **in front of** prcd
fry cvreti
frying pan ponev
full (of) poln
full board poln penzion
full fare, full price polna cena
funfair lunapark
fuse varovalka

G

gallery galerija
game igra

garage avtoservis **31**
garden vrt
gas plin
gas cylinder plinska jeklenka
gastric flu želodčna gripa
gate *(door)* vrata; *(airport)* izhod
gauze gaza
gay homoseksualec *(m)*/
    homoseksualka *(f)*
gearbox menjalnik
general splošen
gents' (toilet) moški
get dobiti
get off izstopiti
get up vstati
gift-wrap *(v)* zaviti kot darilo **85**
girl dekle, punca
girlfriend punca
give dati
give back vrniti
glass kozarec; **a glass of water/**
    of wine kozarec vode/vina
glasses očala
gluten-free brez glutena
go iti; **to go to Ljubljana/to**
    Slovenia iti v Ljubljano/v
    Slovenijo; **we're going home**
    tomorrow jutri gremo domov
go away oditi
go in vstopiti, iti noter
go out iti ven
go with iti s/z
golf golf
golf course igrišče za golf
good dober; **good morning**
    dobro jutro; **good afternoon**
    dober dan; **good evening** dober
    večer

goodbye nasvidenje
goodnight lahko noč
goods blago
GP splošni zdravnik
grams grami
grass trava
great velik
Great Britain Velika Britanija
green zelen
grey siv
grocer's trgovina z živili
ground tla; **on the ground** na tleh
ground floor pritličje
ground sheet šotorsko dno
grow rasti
guarantee garancija, jamstvo
guest gost *(m)*/gostja *(f)*
guest house gostišče
guide vodnik *(m)*/vodnica *(f)* **66**
guidebook vodnik
guided tour voden ogled
gynaecologist ginekolog *(m)*/ ginekologinja *(f)*

H

hair lasje
hairdresser frizer *(m)*/frizerka *(f)*
hairdrier sušilec za lase
half *(adv)* pol
half *(n)* polovica; **half a litre/kilo** pol litra/kilograma; **half an hour** pol ure
half-board pol pension
half-pint: a half-pint pol vrčka piva
hand roka

hand luggage ročna prtljaga **26**
handbag ročna torbica
handball rokomet
handbrake ročna zavora
handicapped prizadet
handkerchief robček
hand-made ročno izdelan
hangover maček; **I have a hangover** imam mačka
happen zgoditi se
happy vesel
hard trd
hashish hašiš
hat klobuk
hate sovražiti
have imeti
have to morati; **I have to go** moram iti
hay fever seneni nahod
he on *(see grammar)*
head glava
headache: I have a headache glava me boli
headlight žaromet
health zdravje
hear slišati
heart srce
heart attack srčni napad
heat vročina
heating ogrevanje
heavy težek
hello dober dan; *(on the phone)* prosim
helmet čelada
help *(n)* pomoč; **to call for help** poklicati na pomoč; **help!** na pomoč!
help *(v)* pomagati **109**

her njo, jo *(see grammar)*
here tukaj; **here is/are** tukaj je/so
hers njen
hi! živjo!
hi-fi glasbeni stolp
high visok
high blood pressure visok krvni pritisk
high tide plima
hiking pohodništvo **73**; **to go hiking** iti na pohod
hill hrib
hill-walking planinarjenje; **to go hill-walking** iti v hribe
him njega, ga *(see grammar)*
hip kolk
hire *(n)* najem
hire *(v)* najeti **32, 71, 74, 75**
his njegov
hitchhike štopati
hitchhiking štopanje
hold držati
hold on! *(on the phone)* samo trenutek
holiday camp počitniški kamp
holiday(s) počitnice; **on holiday** na počitnice
home dom; **at home** doma; **to go home** oditi domov
homosexual *(adj)* homoseksualen
homosexual *(n)* homoseksualec *(m)*/homoseksualka *(f)*
honeymoon poročno potovanje, medeni mesec
horse konj
hospital bolnišnica
hot vroč; **it's hot** vroče je; **hot drink** vroča pijača

hot chocolate vroča čokolada
hotel hotel
hotplate kuhalna plošča
hour ura; **an hour and a half** uro in pol
house hiša
housework gospodinjsko delo; **to do the housework** opravljati gospodinjska dela
how kako; **how are you?** kako ste?
Hungary Madžarska
hunger lakota
hungry: to be hungry biti lačen
hurry (up) pohitite
hurry: I'm in a hurry mudi se mi
hurt: it hurts boli **104**; **my head hurts** glava me boli
husband mož

I

I jaz; **I'm English** jaz sem Anglež *(m)*/Angležinja *(f)*; **I'm 22 (years old)** star *(m)*/stara *(f)* sem 22 let
ice led
ice cube kocka ledu
identity card osebna izkaznica
identity papers osebni dokumenti
if če
ill bolan *(m)*/bolna *(f)*
illness bolezen
important pomemben
in v; na; **in Slovenia/2008/ Slovene** v Sloveniji/leta 2008/po slovensko; **in the 19th century** v devetnajstem stoletju; **in an hour** čez eno uro; **in the village** na vasi

included vštet, vključen **41, 50**
independent neodvisen
indicator kazalec
infection okužba
information informacija **65**
injection injekcija
injured poškodovan
insect insekt
insecticide insekticid
inside znotraj
insomnia nespečnost
instant coffee instant kava
instead namesto tega; **instead of me** namesto mene
insurance zavarovanje
intend to nameravati
international mednaroden
international money order nakazilo za inozemstvo, nakazilo za tujino
Internet internet, splet
Internet café spletna kavarna **94**
invite povabiti
Ireland Irska
Irish *(adj)* irski
Irishman Irec
Irishwoman Irka
iron *(n)* likalnik
iron *(v)* likati
island otok
it ono *(see grammar)*; **it's beautiful** lepo je; **it's warm** toplo je
Italy Italija
itchy: it's itchy srbi me
item predmet

J

jacket jopič, suknjič
January januar
jetlag utrujenost zaradi časovne razlike
jeweller's draguljarna
jewellery nakit
job služba
jogging tek
journey potovanje
jug vrč
juice sok
July julij
jumper pulover
June junij
just pravkar, ravno; **just before/a little** ravno prej/samo malo; **just one** samo en; **I've just arrived** pravkar sem prišel; **just in case** za vsak slučaj

K

kayak kajak
keep obdržati
key ključ **31, 39, 41**
kidney ledvica
kill ubiti
kilometre kilometer
kind: what kind of …? kakšen …?
kitchen kuhinja
knee koleno
knife nož
knock down zbiti na tla
know vedeti; **I don't know** ne vem

ladies' (toilet) ženski
lake jezero
lamp svetilka
landmark mejnik
landscape pokrajina
language jezik
laptop prenosni računalnik
last *(adj) (final)* zadnji; *(preceding)* prejšnji; **last year** prejšnje leto, lani **28**
last *(v)* trajati
late pozen **60**
laugh *(v)* smejati se
launderette pralnica
lawyer odvetnik *(m)*/odvetnica *(f)*
leaflet letak
leak puščati
learn učiti se
least: the least *(adj)* najmanjši; *(adv)* najmanj; **at least** vsaj
leave *(depart)* oditi; *(leave behind)* pustiti
left levi; **to the left (of)** levo od
left-luggage (office) izgubljeno in najdeno
leg noga
lend posoditi
lens leča
lenses kontaktne leče
less *(adj)* manjši; *(adv)* manj; **less than** manj kot
let *(allow)* dovoliti; *(property)* oddati v najem
letter pismo
letterbox poštni nabiralnik
library knjižnica

life življenje
lift dvigalo
light *(adj)* svetel; **light blue** svetlo moder
light *(n)* luč; **do you have a light?** a imate ogenj?
light *(v)* prižgati
light bulb žarnica
lighter vžigalnik
lighthouse svetilnik
like *(adv)* kot
like *(v)* rad imeti **19**; **I'd like ...** rad bi ...
line črta; *(for bus)* proga
lip ustnica
listen poslušati
listings magazine napovednik dogodkov
litre liter
little *(adj)* majhen
little *(adv)* malo
live živeti
liver jetra
living room dnevna soba
local time lokalni čas
lock zakleniti
long dolg; **a long time** dolgo časa; **how long ... ?** kako dolgo ...?
look gledati **83**; **to look tired** izgledati utrujen
look after paziti na koga, skrbeti za koga
look at pogledati
look for iskati **79**
look like *(resemble)* biti podoben; *(seem)* zdeti se; **he looks like his father** podoben je očetu;

it looks like rain zdi se, da bo
  deževalo
lorry tovornjak
lose izgubiti **31, 109**; **to get
  lost** izgubiti se; **to be lost** biti
  izgubljen **13**
lot: a lot (of) veliko
loud glasen
low nizek
low blood pressure nizek krvni
  pritisk
low tide oseka
low-fat z manj maščobami
luck sreča
lucky: to be lucky imeti srečo
luggage prtljaga **26**
lukewarm mlačen
lunch kosilo; **to have lunch**
  kositi, imeti kosilo
lung pljuča
luxury *(adj)* razkošen, luksuzen
luxury *(n)* razkošje, luksuz

M

magazine revija
maiden name dekliški priimek
mail pošta
main glaven
main course glavna jed
make delati, izdelati
man človek
manage upravljati; **to manage
  to do something** uspeti nekaj
  narediti
manager menedžer
many veliko; **how many?** koliko?;
  how many times …? kolikokrat …?

map zemljevid, karta **12, 73**
March marec
marina marina
market tržnica
married poročen
mass maša
match *(for fire)* vžigalica; *(game)*
  tekma
material material
matter: it doesn't matter ni
  važno
mattress žimnica
May maj
maybe mogoče
me jaz; **me too** jaz tudi
meal obrok
mean pomeniti; **what does …
  mean?** kaj pomeni …?
medicine zdravilo
medium srednji; *(meat)* srednje
  pečen
meet srečati se **59**
meeting *(for business)* sestanek,
  srečanje
member član
memory card spominska kartica
menu jedilni list
message sporočilo **98**
meter števec
metre meter
microwave mikrovalovna pečica
midday poldan
middle srednji; **in the middle
  (of)** na sredini
midnight polnoč
might: it might rain morda bo
  deževalo
mill mlin

mind: I don't mind vseeno mi je
mine moj
mineral water mineralna voda
minister minister
minute minuta; **at the last minute** v zadnjem trenutku
mirror ogledalo
Miss gospodična
miss *(be late for)* zamuditi; **we missed the train** zamudili smo vlak; **there are two … missing** pogrešamo dva …
mistake napaka; **to make a mistake** narediti napako
mobile (phone) mobilni telefon **97**
modern moderen, sodoben
moisturizer vlažilna krema
moment trenutek; **at the moment** v tem trenutku, trenutno
monastery samostan
Monday ponedeljek
money denar **80**
month mesec
monument spomenik
mood: to be in a good/bad mood biti dobre/slabe volje
moon luna
moped moped
more več; **more than** več kot; **much more, a lot more** veliko več; **there's no more …** ni več …
morning jutro
morning-after pill postkoitalna kontracepcija **107**
mosque mošeja
mosquito komar

most: the most največ; **most people** največ ljudi
mother mama
motorbike motorno kolo
motorway avtocesta
mountain gora
mountain bike gorsko kolo
mountain hut planinska koča
mouse miš
mouth usta
movie film
MP3 player MP3 predvajalnik
Mr gospod
Mrs gospa
much: how much? koliko?; **how much is it?, how much does it cost?** koliko stane?
muscle mišica
museum muzej
music glasba
must morati; **it must be 5 o'clock** moralo bi biti 5; **I must go** moram iti
my moj

N

nail *(on finger)* noht; *(for hammering in)* žebelj
naked nag, gol
name ime; **my name is …** moje ime je …, ime mi je …, jaz sem …
nap dremanje; **to have a nap** dremati
napkin prtiček
nappy plenica
national holiday državni praznik

nature narava

near blizu; **near the beach** blizu plaže; **the nearest …** najbližji …

necessary nujen

neck vrat

need potrebovati

neighbour sosed (m)/soseda (f)

neither: neither do I niti jaz; **neither … nor …** niti … niti …

nervous živčen, nervozen

never nikoli

new nov

New Year novo leto

news novice

newsagent prodajalec časopisov

newspaper časopis

newsstand kiosk

next naslednji **28**

nice prijazen

night noč **37, 42**

nightclub nočni klub

nightdress spalna srajca

no ne; **no, thank you** ne, hvala; **no idea** nimam pojma

nobody nihče

noise hrup; **to make a noise** povzročati hrup

noisy hrupen

non-drinking water nepitna voda

none nič

non-smoker nekadilec (m)/nekadilka (f)

noon poldan

north sever; **in the north** na severu; **(to the) north of** severno od

nose nos

not ne; **not yet** ne še; **not any** noben; **not at all** sploh ne

note opaziti

notebook zvezek

nothing nič

novel roman

November november

now sedaj, zdaj

nowadays dandanes

nowhere nikjer

number številka

nurse medicinska sestra

obvious očiten, samoumeven

ocean ocean

o'clock: one o'clock ura je ena; **three o'clock** ura je tri

October oktober

of see grammar

offer (v) ponuditi

offer (n) ponudba

often pogosto

oil (for cooking etc) olje; (crude oil) nafta

ointment mazilo

OK v redu

old star; **how old are you?** koliko ste stari?; **old people** stari ljudje

old town staro mesto

on na; v; **it's on at 8pm** na sporedu je ob osmih zvečer; **on Monday** v ponedeljek; **on foot** peš

once enkrat; **once a day/an hour** enkrat na dan/na uro

one en
only samo
open *(adj)* odprt
open *(v)* odpreti
operate delovati
operation: to have an operation biti operiran
opinion mnenje; **in my opinion** po mojem mnenju
opportunity priložnost
opposite *(n)* nasprotje
opposite *(prep)* nasproti
optician optik
or ali
orange *(fruit)* pomaranča; *(colour)* oranžen
orchestra orkester
order *(v)* ukazati **47**
order *(n)* red; **out of order** ne dela, ne deluje
organic organski, bio
organize organizirati
other drug; **others** drugi
otherwise drugače, sicer
our, ours naš *(see grammar)*
outside zunaj
oven pečica
over: over there tam
overdone *(cooked)* preveč kuhan; *(baked)* preveč pečen
overweight: my luggage is overweight moja prtljaga je pretežka
owe dolgovati **50**
own *(adj)* lasten; svoj *(see grammar)*; **my own car** moj lasten avto
own *(v)* imeti

owner lastnik *(m)*/lastnica *(f)*

P

pack: to pack one's suitcase spakirati kovček
package holiday počitniški paket
packed pakiran
packet zavitek
painting slika
pair par; **a pair of pyjamas** pižama; **a pair of shorts** kratke hlače
palace palača
pants spodnjice
paper papir; **paper napkin** papirnati prtiček; **paper tissue** papirnati robček
parcel paket
pardon? oprostite?
parents starši
park *(n)* park
park *(v)* parkirati
parking space parkirno mesto
part del; **to be a part of** biti del
party zabava
pass *(n)* *(ticket)* karta; *(through mountains)* prelaz
pass *(v)* iti mimo
passenger potnik *(m)*/potnica *(f)*
passport potni list
past *(adv)* mimo; *(prep)* *(with time)* čez; **a quarter past ten** četrt čez deset
path pot **73, 74**
patient bolnik *(m)*/bolnica *(f)*, pacient *(m)*/pacientka *(f)*
pay plačati **42, 80, 81**

pedestrian pešec (m)/peška (f)
pedestrianized street ulica za pešce
pee lulati
peel lupiti
pen nalivno pero
pencil svinčnik
people ljudje **46**
percent odstotek, procent
perfect popoln
perfume parfum
perhaps mogoče
periods menstruacija
person oseba
personal stereo prenosni CD predvajalnik
petrol bencin
petrol station bencinska črpalka
phone (n) telefon **109**
phone (v) telefonirati
phone box telefonska govorilnica **97**
phone call telefonski klic; **to make a phone call** poklicati
phone number telefonska številka
phonecard telefonska kartica **97**
photo fotografija; **to take a photo (of)** fotografirati **87**; **to take someone's photo** fotografirati nekoga
picnic piknik; **to have a picnic** imeti piknik
pie pita
piece kos; **a piece of** kos; **a piece of fruit** kos sadja
piles hemoroidi, zlata žila
pill tableta; **to be on the pill** jemati tablete
pillow blazina

pillowcase prevleka za blazino
PIN (number) PIN številka
pink roza
pity: it's a pity škoda je
place prostor
plan načrt
plane letalo
plant rastlina
plaster (cast) mavec
plastic plastičen
plastic bag plastična vreča
plate krožnik
platform peron **29**
play (n) igra
play (v) igrati **75**
please (v) prosim; **can you help me please?** a mi lahko pomagate, prosim?
pleased zadovoljen, vesel; **pleased to meet you!** veseli me, da sva se spoznala
pleasure užitek
plug vtič
plug in vključiti, vklopiti
plumber vodovodar
point točka
police policija
police station policijska postaja **109**
police woman policistka
policeman policist
poor (not good) slab; (not rich) reven
port pristanišče, luka
portrait portret
possible možen, mogoč
post pošta
post office pošta **92**
postbox poštni nabiralnik **92**

postcard razglednica, kartica
postcode poštna številka
poste restante poštno ležeče
poster plakat
postman poštar
pot lonec
pound funt
powder prašek
practical praktičen
pram otroški voziček
prefer imeti rajši, raje
pregnant noseča **105**
prepare pripraviti
present *(gift)* darilo
press *(n)* tisk
press *(v)* pritisniti
pressure pritisk
previous prejšnji
price cena
private privaten, zaseben
prize nagrada
probably verjetno
problem problem, težava
procession procesija
product izdelek
profession poklic
programme program
promise *(v)* obljubiti
promise *(n)* obljuba
propose *(suggest)* predlagati
protect zaščititi
public javen
public holiday državni praznik
pull vleči
purple škrlaten
purpose: on purpose namenoma
purse denarnica

push potisniti
pushchair otroški voziček
put postaviti
put out dati ven
put up *(tent)* postaviti; *(on wall)* obesiti
put up with prenašati

quality kvaliteta; **of good/bad quality** dobre/slabe kvalitete
quarter četrt, četrtina; **a quarter of an hour** četrt ure; **a quarter to ten** četrt do desetih
quay pristan
question vprašanje
queue *(n)* vrsta
queue *(v)* stati v vrsti
quick hiter
quickly hitro
quiet tih
quite precej; **quite a lot of** kar veliko

R

racist rasist
racket lopar
radiator radiator
radio radio
radio station radijska postaja
rain dež
rain: *(v)* **it's raining** dežuje
raincoat dežni plašč
random: at random na slepo
rape posilstvo
rare redek; *(meat)* skoraj surov

rarely redko
rather rajši, raje
raw surov
razor britev
razor blade britvica
reach doseči
read brati
ready pripravljen
reasonable razumen, sprejemljiv
receipt potrdilo o prejemu **81, 105**
receive prejeti
reception recepcija; **at reception** na/v recepciji
receptionist receptor *(m)*/ receptorka *(f)*
recipe recept
recognize prepoznati
recommend priporočiti **45**
red rdeč; *(hair)* rdečelas
red light rdeča luč
red wine rdeče vino
reduce zmanjšati
reduction znižanje
refrigerator hladilnik
refund *(n)* povračilo; **to get a refund** dobiti povračilo **84**
refund *(v)* vrniti
refuse odkloniti
registered registriran
registration number registracijska številka
remember *(recall)* spomniti se; *(not forget)* zapomniti si
remind spomniti
remove odstraniti
rent *(n)* najemnina
rent *(v)* najeti **41**
rental najem

reopen ponovno odpreti
repair popraviti **31**; **to get something repaired** nesti na popravilo
repeat ponoviti **10**
reserve rezervirati **46**
reserved rezerviran
rest *(v)* počivati
rest *(n) (repose)* počitek; **the rest** *(the others)* ostali; *(the remainder)* ostanek
restaurant restavracija, gostilna **45**
return vrniti
return ticket povratna karta
reverse gear vzvratna prestava
rheumatism revmatizem
rib rebro
right *(adj)* desen; **you're right** prav imaš
right *(n) (entitlement)* pravica; *(direction)* desno; **to have the right to …** imeti pravico do …; **to the right (of)** desno od
right: *(adv)* **right away** takoj; **right beside** takoj zraven
ring prstan
ripe zrel
risk tvegati
river reka
road cesta
road sign prometni znak
rock skala
room soba **37, 38**
rosé wine roze vino
round okrogel
roundabout križišče
rubbish smeti; **to take the rubbish out** odnesti smeti ven

rucksack nahrbtnik
rug preproga
ruins ruševine; **in ruins** v ruševinah
run out: we've run out of petrol zmanjkalo nam je goriva

S

sad žalosten
safe varen
safety varnost
safety belt varnostni pas
sail jadrati
sailing jadranje; **to go sailing** iti na jadranje
sale: for sale prodamo; **in the sale** na razprodaji
sales razprodaja
salt sol
salted soljen
salty slan
same enak; **the same** isti
sand pesek
sandals sandali
sanitary towel higienski vložek
Saturday sobota
saucepan kozica
save *(rescue)* rešiti; *(keep)* shraniti
say reči; **how do you say … ?** kako se reče …?
scared: to be scared (of) bati se
scenery pokrajina
scissors škarje
scoop: one/two scoop(s) *(of ice cream)* ena kepica/dve kepici
scooter skuter, motorno kolo
scotch *(whisky)* škotski viski

Scotland Škotska
Scottish *(adj)* škotski
Scotsman Škot
Scotswoman Škotinja
scuba diving potapljanje
sea morje
sea view pogled na morje
seafood morska hrana
seasick: to be seasick imeti morsko bolezen
seaside resort obmorsko letovišče
seaside: at the seaside na morju
season sezona
seat sedež
seaweed morska trava
second drugi
second class drugi razred
secondary school srednja šola
second-hand rabljen
secure varen
security varnost
see videti; **see you later!** se vidimo kasneje!; **see you soon!** se vidimo kmalu!; **see you tomorrow!** se vidimo jutri!
seem zdeti se; **it seems that …** zdi se, da …
seldom redko
self-confidence samozavest
sell prodati
Sellotape® lepilni trak
send poslati
sender pošiljatelj
sensitive občutljiv
sentence stavek
separate ločiti
separately ločeno

September September
serious resen
several nekaj
sex *(gender)* spol
shade senca; **in the shade** v
  senci
shame sramota
shampoo šampon
shape oblika
share deliti
shave briti se
shaving cream krema za britje
shaving foam pena za britje
she ona *(see grammar)*
sheet rjuha
shellfish lupinar
shirt srajca
shock šok
shocking šokantno
shoes čevlji
shop trgovina
shop assistant prodajalec *(m)*/
  prodajalka *(f)*
shopkeeper lastnik trgovine
  (m)/lastnica trgovine *(f)*
shopping nakupovanje; **to do
  some/the shopping** iti po
  nakupih
shopping centre trgovski center
short kratek; **I'm two … short**
  manjkata mi …
short cut bližnjica
shorts kratke hlače
short-sleeved s kratkimi rokavi
shoulder rama
show *(n)* predstava **61**
show *(v)* pokazati
shower tuš; **to take a shower**

  tuširati se
shower gel gel za tuširanje
shut *(v)* zapreti; *(adj)* zaprt
shy plah
sick: I feel sick slabo mi je
side stran
sign *(n)* znak
sign *(v)* podpisati
signal signal
silent molčeč
silver srebrn
silver-plated posrebren
SIM card SIM kartica
since od
single *(unmarried)* samski
single (ticket) enosmerna karta
sister sestra
sit down usesti se
size velikost **83**
ski smučati
ski boots smučarski čevlji
ski lift vlečnica
ski pole smučarska palica
ski resort smučarsko središče
skiing smučanje; **to go skiing** iti
  na smučanje
skin koža
skirt krilo
sky nebo
skyscraper nebotičnik
sleep *(n)* spanje
sleep *(v)* spati; **to sleep with**
  spati s/z
sleeping bag spalna vreča
sleeping pill uspavalo
sleepy: to be sleepy biti zaspan
sleeve rokav
slice rezina

sliced narezan
slide diapozitiv
Slovene *(adj)* slovenski
Slovene *(n)* Slovenec *(m)*/ Slovenka *(f)*
Slovene *(language)* slovenščina
Slovenia Slovenija
slow počasen
slowly počasi
small majhen
smell *(n)* vonj
smell *(v) (gas)* vohati; **to smell good/bad** dišati/smrdeti
smoke kaditi
smoker kadilec *(m)*/kadilka *(f)*
snack prigrizek
snow *(n)* sneg
snow *(v)* snežiti; **it's snowing** sneži
so tako; **so that** da bi
soap milo
soccer nogomet
socks nogavice
some neki; **some people** neki ljudje
somebody nekdo
someone nekdo
something nekaj; **something else** nekaj drugega
sometimes včasih
somewhere nekje; **somewhere else** nekje drugje
son sin
song pesem
soon kmalu
sore: I have a sore throat boli me grlo; **I have a sore head** boli me glava

sorry žalosten; **sorry!** žal mi je!, oprostite!
south jug; **in the south** na jugu; **(to the) south of** južno od
souvenir spominek
spare rezerven
spare part rezervni del
spare tyre rezervna guma
spare wheel rezervno kolo
spark plug svečka
speak govoriti 8, 10, 98, 109
special poseben; **house special** hišna specialiteta
speciality *(food)* specialiteta
speed hitrost; **at full speed** s polno hitrostjo
spell črkovati; **how do you spell it?** kako se črkuje?
spend *(money)* zapraviti; *(time)* preživeti
spice začimba
spicy začinjen
spider pajek
splinter trska
split up razdeliti
spoil pokvariti
sponge gobica
spoon žlica
sport šport
sports ground športno igrišče
sporty športen
spot *(on skin)* mozolj; *(on clothes)* madež
sprain: to sprain one's ankle zviti si gleženj
spring pomlad
square trg
stadium stadion

stain madež
stained-glass windows vitraž
stairs stopnice
stamp znamka **92**
start začetek
state izjaviti
statement izjava
station postaja
stay *(n)* bivanje
stay *(v)* ostati; **to stay in touch** obdržati stike
steal krasti **109**
step korak
sticking plaster obliž
still še; **he still hasn't returned** ni se še vrnil
still water navadna voda
sting *(n)* pik
sting *(v)* pičiti; **I've been stung by a bee** pičila me je čebela
stock: out of stock ni na zalogi
stomach trebuh
stone kamen
stop *(n)* postajališče **29**
stop *(v)* ustaviti
stopcock ventil za zapiranje vode
storey nadstropje
storm nevihta
straight ahead, straight on naravnost
strange čuden
street ulica
strong močan
stuck: I got stuck obtičal sem; **the door is stuck** vrata so se zataknila
student študent *(m)*/študentka *(f)* **24**
studies študij

study študirati; **to study biology** študirati biologijo
style stil
subtitled s podnapisi
suburb predmestje
suffer trpeti
suggest predlagati
suit: does that suit you? a vam to ustreza?
suitcase kovček
summer poletje
summit vrh
sun sonce; **in the sun** na soncu
sun cream krema za sončenje
sunbathe sončiti se
sunburnt: to get sunburnt dobiti sončne opekline
Sunday nedelja
sunglasses sončna očala
sunhat letni klobuček
sunrise sončni vzhod
sunset sončni zahod
sunstroke sončarica; **to get sunstroke** dobiti sončarico
supermarket supermarket **79**
supplement dodatek; *(in newspaper)* priloga
sure gotov
surf surfati
surfboard surf, deska za surfanje
surfing surfanje, deskanje na vodi; **to go surfing** iti na surfanje
surgical spirit razkužilo
surname priimek
surprise *(n)* presenečenje
surprise *(v)* presenetiti
sweat znoj
sweater pulover

sweet *(adj)* sladek
sweet *(n)* sladica
swim *(v)* plavati
swim: *(n)* **to go for a swim** iti
  plavat
swimming plavanje
swimming pool bazen
swimming trunks kopalke
swimsuit kopalke
switch off ugasniti
switch on prižgati
switchboard operator telefonist
  (m)/telefonistka *(f)*
swollen otekel
synagogue sinagoga
syrup sirup

T

table miza **46**
tablespoon jedilna žlica
tablet tableta
take vzeti; **it takes two hours**
  traja dve uri
take off *(plane)* vzleteti
takeaway za s sabo
talk pogovarjati se
tall visok
tampon tampon
tan *(v)* porjaveti
tanned ogorel
tap pipa
taste okus
taste *(n)* pokusiti
tax *(v)* davek
tax-free brez davka
taxi taksi **32**
taxi driver taksist *(m)*/taksistka *(f)*

T-bar vlečnica
team ekipa
teaspoon čajna žlička
teenager najstnik *(m)*/najstnica *(f)*
telephone *(n)* telefon
telephone *(v)* telefonirati
television televizija
tell povedati
temperature temperatura; **to
  take one's temperature**
  izmeriti temperaturo
temple tempelj
temporary začasen
tennis tenis
tennis court teniško igrišče
tennis shoe teniški copat
tent šotor
tent peg klin
terminal terminal
terrace terasa
terrible strašen
thank zahvaliti se; **thank you**
  hvala; **thank you very much**
  najlepša hvala
thanks hvala; **thanks to**
  zahvaljujoč se
that ta/tisti; **that one** tisti
the see *grammar*
theatre gledališče
theft kraja
their njihov
theirs njihov
them jih; jim *(see grammar)*
theme park tematski park
then potem
there tam; **there is** tam je; **there
  are** tam so
therefore zato

thermometer termometer
Thermos® flask termovka
these ti; **these ones** ti
they oni *(see grammar)*; **they say that ...** pravijo, da ...
thief tat
thigh slegno
thin tanek
thing stvar; **things** stvari
think misliti
think about razmišljati o
thirst žeja
thirsty: to be thirsty biti žejen
this ta; **this one** ta; **this evening** ta večer; **this is** to je
those tisti; **those ones** tisti
throat grlo
throw vreči
throw out vreči ven
Thursday četrtek
ticket karta **24, 60, 61, 67**
ticket office blagajna **66**
tidy *(adj)* pospravljen
tidy *(v)* pospravljati
tie kravata
tight tesen
tights hlačne nogavice
time čas; **what time is it?** koliko je ura?; **from time to time** od časa do časa; **on time** točen; **three/four times** trikrat/štirikrat
time difference časovna razlika
timetable vozni red **24**
tinfoil folija
tip napitnina
tired utrujen
tobacco tobak
tobacconist's trafika

today danes
together skupaj
toilet wc **8, 10**
toilet bag toaletna torbica
toilet paper toaletni papir
toiletries toaletne potrebščine
toll cestnina
tomorrow jutri; **tomorrow evening** jutri zvečer; **tomorrow morning** *(early morning)* jutri zjutraj; *(late morning)* jutri dopoldne
tongue jezik
tonight nocoj, danes zvečer
too pre- ; **too bad** preslab; **too many** preveč; **too much** preveč
tooth zob
toothbrush zobna ščetka
toothpaste zobna pasta
top vrh; **at the top** na vrhu
top-up card telefonska kartica **97**
torch svetilka
touch dotakniti se
tourist turist *(m)*/turistka *(f)*
tourist office turistične informacije **65**
tourist trap magnet za turiste
towards proti
towel brisača
town mesto
town centre center mesta, mestno središče
town hall mestna hiša
toy igrača
traditional tradicionalen
traffic promet
traffic jam prometni zamašek

train vlak **28, 29**; **the train to Koper** vlak za Koper
train station železniška postaja
tram tramvaj
transfer (n) (of money) nakazilo
translate prevesti
travel potovati
travel agency turistična agencija
traveller's cheque potovalni ček
trip izlet; **have a good trip!** dobro potujte!
trolley voziček
trouble: to have trouble doing something imeti težave pri
trousers hlače
true resničen
try poskusiti; **to try to do something** poskusiti nekaj narediti
try on pomeriti **83**
tube podzemna železnica, metro
Tuesday torek
turn (v) zaviti; (page) obrniti
turn: (n) **it's your turn** vi ste na vrsti
twice dvakrat
type (n) tip
type (v) tipkati
typical tipičen
tyre pnevmatika

U

umbrella dežnik
uncomfortable neudoben
under pod
underground podzemna železnica, metro

underneath spodaj
understand razumeti **10**
underwear spodnje perilo
United Kingdom Združeno kraljestvo
United States Združene države
until do
upset (adj) vznemirjen
upstairs zgoraj
urgent nujen
us nas; nam (see grammar)
use uporabljati; **to be used for** uporablja se za; **I'm used to it** navajen sem na
useful koristen
useless nekoristen
usually ponavadi
U-turn polkrožno obračanje

V

vaccinated (against) cepljen (proti)
valid veljaven
valid (for) veljaven (za)
valley dolina
VAT davek na dodano vrednost, DDV
vegetarian (adj) vegetarijanski
Venice Benetke
very zelo
Vienna Dunaj
view razgled
villa vila
village vas
visa vizum
visit (n) obisk
visit (v) obiskati

volleyball odbojka
vomit bruhati

waist pas
wait čakati; **to wait for somebody/something** čakati nekoga/nekaj
waiter natakar
waitress natakarica
wake up zbuditi se
Wales Wales
walk *(v)* hoditi
walk: *(n)* **to go for a walk** iti na sprehod
walking boots pohodniški čevlji
walking: to go walking iti na pohod
Walkman® walkman
wallet denarnica
want hoteti; **I want to travel** hočem potovati
warm topel
warn opozoriti
wash umiti; **to wash one's hair** umiti si lase
wash: *(n)* **to have a wash** umiti se
washbasin umivalnik
washing machine pralni stroj
washing powder pralni prašek
washing: to do the washing prati (perilo)
washing-up liquid tekočina za pomivanje posode
wasp osa
waste odpadek

watch *(n)* ura
watch *(v)* gledati; *(take care)* paziti; **watch out!** pazite!
water voda
water heater bojler
waterproof nepremočljiv
waterskiing smučanje na vodi
wave val
way pot
way in vhod
way out izhod
we mi *(see grammar)*
weak slaboten
wear nositi
weather vreme; **the weather's bad** vreme je slabo
weather forecast vremenska napoved
website spletna stran
Wednesday sreda
week teden
weekend vikend, konec tedna
welcome dobrodošel; **welcome!** dobrodošli!; **you're welcome** ni za kaj
well dobro; **I'm very well** zelo dobro sem; **well done** *(meat)* dobro pečen
well-known znan
Welsh *(adj)* valižanski
Welshman Valižan
Welshwoman Valižanka
west zahod; **in the west** na zahodu; **(to the) west of** zahodno od
wet moker
wetsuit potapljaška, neoprenska obleka

what kaj; **what do you want?** kaj želite?

wheel kolo

wheelchair invalidski voziček

when *(one occasion)* ko; *(whenever)* kadar; *(in questions)* kdaj

where kje; *(where to)* kam; **where is/are ...?** kje je/so ...?; **where are you from?** od kod ste?; **where are you going?** kam greste?

which kateri

while medtem ko

white bel

white wine belo vino

who kdo; **who's calling?** kdo kliče?

whole cel; **the whole cake** cela torta

whose čigav

why zakaj

wide širok

wife žena

wild divji

wind veter

window okno; **in the shop window** v izložbi

windscreen vetrobran

windsurfing surfanje

wine vino **48, 49**

winter zima

with s/z

withdraw umakniti se; *(money)* dvigniti

without brez

woman ženska

wonderful čudovit

wood gozd

wool volna

work *(n)* delo; **work of art** umetnina

work *(v)* delati

world svet

worse *(adj)* slabši; **to get worse** poslabšati se; **it's worse (than)** slabše je (kot)

worth: to be worth biti vreden; **it's worth it** vredno je

wound rana

wrist zapestje

write pisati **11, 80**

wrong narobe

XYZ

X-rays rentgen

year leto

yellow rumen

yes ja

yesterday včeraj; **yesterday evening** včeraj zvečer

you *(formal)* vi; *(informal)* ti

young mlad

your *(formal)* vaš; *(informal)* tvoj

yours *(formal)* vaš; *(informal)* tvoj

youth hostel hostel, mladinski hotel

zero nič

zip zadrga

zoo živalski vrt

zoom (lens) zum

DICTIONARY

SLOVENE-ENGLISH

A

a do *(in questions)*; **a imaš rad čokolado?** do you like chocolate?

adaptor adaptor

adijo bye!

alergičen allergic

ali or; do *(in questions)*; **želite pivo ali vino?** would you like beer or wine?; **ali imaš rad čokolado?** do you like chocolate?

alkohol alcohol

ambasada embassy

Američan *(m)*/**Američanka** *(f)* American *(n)*

ameriški American *(adj)*

ampak but

anestetik anaesthetic

angleščina English *(language)*

angleški English *(adj)*

Anglež Englishman

Angležinja Englishwoman

Anglija England

antibiotik antibiotics

april April

aspirin aspirin

astma asthma

avenija avenue

avgust August

Avstrija Austria

avto car

avtobus bus; coach

avtobusna postaja bus station

avtobusna proga bus route

avtobusno postajališče bus stop

avtocesta motorway

avtodom camper *(van)*

avtoservis garage

B

balkon balcony

banka bank

bankomat cashpoint

bankovec banknote

bar bar

barva colour

baterija battery

bati se to be scared (of)

bazen swimming pool

bel white

bencin petrol

bencinska črpalka petrol station

Benetke Venice

bio organic

biti to be

bivanje stay *(n)*

blagajna ticket office

blago goods

blazina pillow

bliskavica flash

bližnjica short cut

blizu near; **najbližji ...** the nearest ...

boja buoy
bojler water heater
bolan *(m)*/**bolnwa** *(f)* ill
boleti to hurt, to be sore; **glava me boli** my head hurts
bolezen illness
boljši better; **bolje je …** it's better to …
bolnik *(m)*/**bolnica** *(f)* patient
bolnišnica hospital
bombaž cotton
botanični vrt botanical garden
božič Christmas
brada beard; chin
brat brother
brati to read
brez without; **brez glutena** gluten-free; **brez prestopanja** direct *(journey)*
brezplačen free
brisača towel; **brisača za obraz** facecloth
britev razor
briti se to shave
britvica razor blade
bronhitis bronchitis
brošura brochure
bruhati to vomit
budilka alarm clock

C

carina customs
cel whole
cena charge *(n)*; cost, price
centimeter centimetre
cepljen (proti) vaccinated

(against)
cerkev church
cesta road
cestnina toll
cigara cigar
cigareta cigarette
cigaretni papir cigarette paper
cirkus circus
cvreti to fry

Č

čajna žlička teaspoon
čakati to wait
čas time
časopis newspaper
časovna razlika time difference
če if
čebela bee
ček cheque
čelada helmet
čelo forehead
čeprav although
četrt quarter
četrtek Thursday
čevlji shoes
čez across; past *(in time)*
čigav whose
čim prej as soon as possible
čist clean *(adj)*
čistiti to clean
član member
človek man
čoln boat
črkovati to spell
črn black
črta line

čuden strange
čudovit wonderful

daleč far
daljnogled binoculars
dan day
dandanes nowadays
danes today
darilo present
dati to give
dati ven to put out
datirati (iz) to date (from)
datum date *(n)*
davek tax; **brez davka** tax-free
**davek na dodano vrednost,
   DDV** VAT
debel fat
debetna kartica debit card
december December
dejstvo fact
dekle girl
del part
dela: ne dela out of order
delati to work, to do
delikatesa deli
deliti to share
delo work *(n)*
delovati to operate; **ne deluje**
   out of order
denar money
denarnica purse; wallet
deodorant deodorant
desen right *(adj)*
deska board
dež rain
dežela country

deževati: dežuje it's raining
dežni plašč raincoat
dežnik umbrella
dežurna lekarna duty chemist's
diapozitiv slide
dieta diet
digitalen fotoaparat digital
   camera
dimnik chimney
disko disco
dišati to smell good
divji wild
dizel diesel
dnevna soba living room
dno bottom
do until
dober good; fine; **dober dan**
   hello; **dober tek** enjoy your
   meal!
dobiti to get
dobro well
dobrodošli! welcome!
dodatek supplement
dodaten extra *(adj)*
dojenček baby
dolg long
dolgovati to owe
dolina valley
dom home
doseči to reach
dostop access *(n)*
dotakniti se to touch
dovoliti to let *(allow)*
dovolj enough
drag expensive, dear
draguljarna jeweller's
dremati to have a nap
driska diarrhoea

drobiž change *(n) (money)*
droge drugs
drug other
drugače otherwise
drugačen another; different *(from)*
drugi second; others
družba company
družina family
držati to hold
državni praznik national/public holiday
Dunaj Vienna
dvakrat twice
dvigalo lift
dvigniti to withdraw *(money)*; to lift (up)

E

ekipa team
ekonomski razred economy class
ekspresen express *(adj)*
ekspreso expresso, espresso
električen electric
električni brivnik electric shaver
elektrika electricity
elektronska pošta e-mail
elektronski naslov e-mail address
ena one
enak equal; same
enako likewise
enkrat once
enosmerna karta single (ticket)
epileptičen epileptic
evro euro
Evropa Europe
evropski European *(adj)*

F

faks fax
februar February
festival festival
film film
fleš flash
folija tinfoil
fotoaparat camera
fotografija photo
fotografirati to take a photo (of)
frizer *(m)*/**frizerka** *(f)* hairdresser
funt pound

G

ga him
galerija gallery
garancija guarantee
garderoba changing room; cloakroom
gasilci fire brigade
gaza gauze
gel za tuširanje shower gel
ginekolog *(m)*/**ginekologinja** *(f)* gynaecologist
glasba music
glasbeni stolp hi-fi
glasen loud
glava head
glaven main
glavnik comb
gledališče theatre
gledati to watch, to look
gleženj ankle
globok deep
gluh deaf
gobica sponge

golf golf
gora mountain
goreti to burn
gorsko kolo mountain bike
gospa Mrs
gospod Mr
gospodična Miss
gospodinjsko delo housework
gost *(m)*/**gostja** *(f)* guest
gostilna restaurant
gostišče guest house
gotov ready
gotovina cash
govoriti to speak
gozd forest; wood
grad castle
graditi to build
gram gram
gripa flu
grlo throat

H

hašiš hashish
hčerka daughter
hemoroidi piles
higienski vložek sanitary towel
hiša house
hiter fast, quick; express
hitro quickly
hitrost speed
hlače trousers; **kratke hlače** shorts
hlačne nogavice tights
hladen cool; chilly
hladilnik fridge
hoditi to walk
homoseksualec *(m)*/

homoseksualka *(f)* homosexual *(n)*
homoseksualen homosexual *(adj)*
hostel youth hostel
hotel hotel
hoteti to want
hrana food
hrbet back *(part of the body)*
hrib hill; **iti v hribe** to go hill-walking
hrup noise; din
hrupen noisy
Hrvaška Croatia
hvala thank you; **najlepša hvala** thank you very much

I

igra game; play *(n)*
igrača toy
igrati to play
igrišče za golf golf course
ime first name
imenovati se to be called
imeti to have; to own
imeti dovolj to be fed up (with)
in and
informacija information
injekcija injection
insekt insect
insekticid insecticide
instant kava instant coffee
internet internet
invaliden disabled
invalidski voziček wheelchair
Irska Ireland
irski Irish *(adj)*

iskati to look for
isti the same
Italija Italy
iti to go; **iti mimo** to go past; **iti noter** to go in; **iti po nekoga/ nekaj** to go and fetch someone/ something; **iti s/z** to go with; **iti ven** to go out
iz from
izčrpan exhausted
izčrpati to exhaust
izdelati to make
izdelek product
izgubiti to lose; **izgubiti se** to get lost
izgubljen lost
izgubljeno in najdeno left-luggage (office)
izhod exit; way out; gate *(at airport)*
izjava statement
izjaviti to declare, to state
izjemen exceptional
izlet trip
izložba shop window
izpolniti to fill in, to fill out *(form)*
izposoditi si to borrow
izpušna cev exhaust pipe
izstopiti to get off

J

ja yes
jadranje sailing
jadrati to sail
jamstvo guarantee
januar January
japonke flip-flops

javen public
jaz I; **jaz sam** myself
jed dish
jedilna žlica tablespoon
jedilni list menu
jemati to take; **jemati tablete** to be on the pill
jesen autumn
jesti to eat
jetra liver
jezero lake
jezik language; tongue
jih, jim them; to them
jo her
jokati to cry
jopič jacket
jug south
julij July
junij June
jutri tomorrow
jutro morning

K

kadar when(ever)
kadilec *(m)*/**kadilka** *(f)* smoker
kaditi to smoke
kaj what
kajak kayak
kako how
kakšen …? what kind of …?
kam where (to); **kam greste?** where are you going?
kamen stone
kamp campsite
kampiranje camping
kanal channel
kapela chapel

kapljice drops
karkoli anything
karta ticket; fare; pass; map
kartica card; postcard
kašelj cough (n)
kašljati to cough
katastrofa disaster
katedrala cathedral
kateri which
kava coffee
kavarna café
kazalec indicator; pointer;
  forefinger
kazen fine (n)
kdaj? when?
kdo who
kdorkoli anybody, anyone
kemična čistilnica dry cleaner's
kepica scoop
ker because
kilometer kilometre
kino cinema
kiosk newsstand
kje where; **kje je?** where is?
klic call (n)
klif cliff
klimatska naprava air
  conditioning
klin tent peg
ključ key
klobuk hat; **letni klobuček**
  sunhat
kmalu soon
knjiga book (n)
knjigarna bookshop
knjižnica library
ko when
kocka cube

kokakola Coke®
koleno knee
kolesarska pot cycle path
koliko? how much/many?
kolikokrat …? how many times …?
kolk hip
kolo bicycle; bike; wheel
komar mosquito
koncert concert
koncertna dvorana concert hall
končati to finish
končno finally
kondom condom
konec end
konec tedna weekend
konj horse
kontaktne leče contact lenses
konzerva tin, can (for food)
konzulat consulate
kopalke swimming trunks;
  swimsuit
kopalna brisača bath towel
kopalnica bathroom
kopati se to have a bath
kopel bath
korak step
koristen useful
kos piece
kosilo lunch
koš bin
košček bit; lump
kot as; than
kovanec coin
kovček suitcase
kozarec glass
kozica saucepan
koža skin
kraja theft

krasti to steal
kratek short
kravata tie
kreditna kartica credit card
krema za britje shaving cream
krema za po sončenju after-sun (cream)
krema za sončenje sun cream
kri blood
krilo skirt
križ cross (n)
križarjenje cruise
krožišče roundabout
krožnik plate
krtača brush (for hair)
kruh bread
krvaveti to bleed
krvni pritisk blood pressure
kuhalna plošča hotplate
kuhan cooked
kuhanje cooking
kuhati to cook
kuhinja kitchen
kuhinjska krpa dish cloth
kupe compartment
kupiti to buy
kuverta envelope
kvaliteta quality

---

lačen hungry
lahek easy
lahko to be able to, can (v)
lahko noč goodnight
lakota hunger
lani last year
lasje hair

lasten own (adj)
lastnik (m)/**lastnica** (f) owner
leča lens
led ice
ledvica kidney
lekarna chemist's
lep beautiful
lepilni trak Sellotape®
let flight
letak leaflet
letališče airport
letalo aeroplane
letalska pošta airmail
letalska proga airline
leteti to fly
leto year
levi left (adj)
likalnik iron (n)
likati to iron
liter litre
ljudje people
ločeno separately
ločiti to separate
lokalni čas local time
lomljiv fragile
lonec pot
lopar racket
luč light (n)
lulati to pee
luna moon
lunapark funfair
lupinar shellfish
lupiti to peel

---

maček cat; hangover; **imam mačka** I have a hangover

madež stain, spot *(on clothes)*
Madžarska Hungary
magnet za turiste tourist trap
maj May
majhen small, little *(adj)*
malo little *(adv)*
mama mother
manj less *(adv)*
manjši less *(adj)*
marec March
marina marina
maša mass
material material
maternični vložek coil *(contraceptive)*
mavec plaster *(cast)*
mazilo ointment
med *(prep)* among; between; during
med *(n)* honey
medeni mesec honeymoon
mednaroden international
medtem ko while
mejnik landmark
menedžer manager
menjalnik gearbox
menjalniški tečaj exchange rate
menjava exchange
menstruacija periods
mesar butcher's
mesec month
mestna hiša town hall
mesto city; town
meter metre
mi we
mikrovalovna pečica microwave
milo soap
mimo past *(adv)*

mineralna voda mineral water
minister minister
minuta minute
misliti to think
miš mouse
mišica muscle
miza table
mlačen lukewarm, tepid
mlad young
mladinski hotel youth hostel
mlin mill
mnenje opinion; **po mojem mnenju** in my opinion
mobilni telefon mobile (phone)
močan strong
moči: ne morem I'm not able to, I can't
moder blue
moderen modern
modrček bra
mogoč possible
mogoče maybe, perhaps
moj mine; my
moker wet
molčeč silent
moped moped
morati to have to, must
morda maybe; perhaps
morje sea
morska bolezen seasickness
morska hrana seafood
morska trava seaweed
most bridge
mošeja mosque
moški man; gents' *(toilet)*
motiti to disturb
motor engine
motorno kolo motorbike;

scooter
mozolj spot *(on skin)*
mož husband
možen possible
MP3 predvajalnik MP3 player
mravlja ant
mrtev dead
mrzel chilly, cold
mudi se mi I'm in a hurry
muha fly *(n)*
muzej museum

N

na on; at; in; **na univerzi** at the
     university; **na vrtu** in the garden;
     na mizi on the table
načrt plan
nad above
nadstropje storey, floor
nag naked
nagrada prize
nahrbtnik backpack, rucksack
najboljši best
najem hire, rental
najemnina rent *(n)*
najeti to hire, to rent
najljubši favourite
najmanj least *(adv)*
najmanjši least *(adj)*
najprej first of all
najstnik *(m)*/**najstnica** *(f)*
     teenager
najti to find
največ most
nakazilo transfer *(of money)*
**nakazilo za inozemstvo/za
     tujino** international money order

nakit jewellery
nakupovanje shopping
nalezljiv contagious, infectious
nalivno pero pen
nam us
namenoma on purpose
nameravati to intend to
namesto tega instead
napaka mistake; flaw
napasti to attack
napitnina tip
napoved forecast
napovednik dogodkov listings
     magazine
narava nature
naravnost straight ahead, straight
     on
narezan sliced
narobe wrong
naročiti se to make an
     appointment *(with the doctor)*
nas us
naslednji next
naslov address
nasproti opposite *(prep)*
nasprotje opposite *(n)*
nastanitev accommodation
nasvet advice
nasvidenje goodbye
naš our; ours
natakar waiter
natakarica waitress
navadna voda still water
navajen: biti navagen na to be
     used to
navezati stike to contact, to get
     in touch
navijač fan

na zdravje! cheers!; bless you!
ne no; not
nebo sky
nebotičnik skyscraper
nedelja Sunday
nekadilec *(m)*/**nekadilka** *(f)*
  non-smoker
nekaj few; several; something
nekako anyway; somehow *(adv)*
neki some; certain
nekdo somebody, someone
nekje somewhere
nekoristen useless
neodvisen independent
nepitna voda non-drinking water
neposreden direct
nepremočljiv waterproof
nervozen nervous
nespečnost insomnia
nesreča accident; disaster
neudoben uncomfortable
nevaren dangerous
nevihta storm
nič none; nothing; zero
nihče nobody
nikjer nowhere
nikoli never
nizek low
njega him
njegov his
njen hers
njihov their; theirs
njo her
noben not any
nocoj tonight
noč night
nočni klub nightclub
noga foot; leg

nogavice socks
nogomet soccer, football
noht nail *(on finger)*
nos nose
noseča pregnant
nositi to carry, to wear
nov new
november November
novice news
novo leto New Year
nož knife
nujen necessary; urgent; **nujen**
  primer emergency

---

o about
ob *(with time)* at; *(with place)* by;
  ob desetih at 10 o' clock; **ob**
  obali by the seaside
oba both of us
obala coast; seaside
občutek feeling
občutljiv sensitive
obdržati to keep; **obdržati stike**
  to stay in touch
obesiti to hang up
obešalnik coathanger
obisk visit *(n)*
obiskati to visit
oblačila clothes
obleči se to get dressed
obletnica anniversary
oblika shape
obliž Elastoplast®, sticking plaster
območje area
obmorsko letovišče seaside
  resort

oboje both
obraz face
obrok meal
obtičati: obtičal sem I got stuck
obveza bandage
ocean ocean
ocvrt fried
očala glasses
oče father
očiten obvious
od since; from; **od … do …** from
… to …; **od kod** where from;
od kod ste? where are you
from?
odbijač bumper
odbojka volleyball
oddati v najem to let *(apartment, house)*
oddelek department
odeja blanket
odgovor answer *(n)*
odgovoriti to answer
odhod departure
oditi to go away, to leave
odjaviti se to check out
odkloniti to refuse
odpadek waste
odpirač za konzerve can opener
odpirač za steklenice bottle
opener ; corkscrew
odpovedati to cancel
odpreti to open; **ponovno
odpreti** to reopen
odprt open *(adj)*
odstotek percent
odstraniti to remove
odvetnik *(m)*/**odvetnica** *(f)*
lawyer

odvisen (od) dependent (on)
ogenj fire
ogledalo mirror
ognjemet fireworks
ogorel tanned
ogrevanje heating
okno window
oko eye
okoli around *(adv)*
okrevati to get better
okrogel round *(adj)*
oktober October
okus taste
okužba infection
okvara motorja breakdown
olje oil
omedleti to faint
on he
ona she
oni they
ono it
on sam himself
opatija abbey
opaziti to note
opeklina burn *(n)*
opozoriti to warn
opravičilo excuse *(n)*
opravičiti to excuse
oprema equipment
oprostite I'm sorry; pardon?;
excuse me
oprostiti to excuse *(forgive)*
optik optician
oranžen orange *(colour)*
organizirati to organize
organski organic
orkester orchestra
osa wasp

oseba person
osebna izkaznica identity card
osebni dokumenti identity
  papers
oseka low tide
ostali the rest
ostati to stay
otekel swollen
oteklina bump
otok island
otrok child
otroški voziček pram; pushchair

P

pacient (m)/**pacientka** (f) patient
pajek spider
paket parcel
pakiran packed
palača palace
papir paper
par pair
parfum perfume
park park (n)
parkirati to park
parkirišče car park
parkirno mesto parking space
pas waist
pasti to fall
paziti to take care, to watch out;
  paziti na koga to look after
peči to bake
pečica oven
pekarna baker's
pena za britje shaving foam
peneč fizzy
pepelnik ashtray
peron platform

pesek sand
pešec (m)/**peška** (f) pedestrian
petek Friday
pičiti to bite; to sting
pijača drink (n)
pijan drunk
pik bite (n); sting (n)
piknik picnic
PIN številka PIN (number)
pipa tap; pipe
pisati to write
pismo letter
pita pie
piti to drink
pitna voda drinking water
pižama pair of pyjamas
plačati to pay
plah shy
plakat poster
planinarjenje hill-walking
planinska koča mountain hut
plastičen plastic (adj)
plavanje swimming; swim (n); **iti
  na plavanje** to go for a swim
plavati to swim
plaža beach
plenica nappy
ples dance (n)
plesati to dance
plezanje climbing
plima high tide
plin gas
plinska jeklenka gas cylinder
plinski gorilnik camping stove
pljuča lung
pločevinka tin; can (n) (for drinks)
plomba filling (in tooth)
pnevmatika tyre

po after
poceni cheap
počasen slow
počasi slowly
počen burst *(adj)*
početi to do
počitek rest *(n)*
počiti to burst *(tyre)*
počitnice holiday(s)
počitniška prikolica caravan
počitniški kamp holiday camp
počitniški paket package holiday
počivati to rest
počutiti se to feel
pod under, below *(prep)*
podeželje countryside
podnebje climate
podoben similar
podpisati to sign
področna koda dialling code
poduhati to smell *(flower etc)*
podzemna železnica tube, underground
pogled na morje sea view
pogledati to look at
pogosto often
pogovarjati se to talk
pogrešati to miss
pohiteti to hurry (up)
pohod hike
pohodniški čevlji walking boots
pohodništvo hiking
pojutrišnjem the day after tomorrow
pokazati to show
poklic profession
poklicati to call; **poklicati nazaj** to call back

pokopališče cemetery
pokrajina landscape; scenery
pokriti to cover
pokusiti to taste
pokvariti to spoil
pokvariti se to break down
pol half
pol penzion half-board
poldan midday, noon
poleg beside
poletje summer
policija police
policijska postaja police station
policist policeman
policistka police woman
polkrožno obračanje U-turn
poln full
poln penzion full board
polna cena full fare, full price
polniti to fill
polnoč midnight
polog deposit *(n)*
pomagati to help
pomaranča orange *(fruit)*
pomemben important
pomeniti to mean
pomeriti to try on
pomivalni stroj dishwasher
pomivati to wash the dishes
pomlad spring
pomoč help *(n)*
ponavadi usually
ponedeljek Monday
ponev frying pan
ponoviti to repeat
ponudba offer *(n)*
ponuditi to offer
popoldan afternoon

popoln perfect; complete
popraviti to repair
popust discount; concession
porabiti to spend
porezati se to cut oneself
porjaveti to tan
poročen married
poročno potovanje honeymoon
portret portrait
poseben special *(adj)*
posilstvo rape
poskusiti to try
poslabšati se to get worse
poslati to send
poslušati to listen
posoda bowl; dishes
posoditi to lend
pospravljati to tidy
pospravljen tidy *(adj)*
posrebren silver-plated
postaja station
postajališče stop *(n)*
postaviti to put; to put up; to
  place
postelja bed
postkoitalna kontracepcija
  morning-after pill
pošiljatelj sender
poškodovan damaged; injured
pošta mail, post; post office
poštar postman
poštna številka postcode
poštni nabiralnik letterbox;
  postbox
poštno ležeče poste restante
pot path; way; route
potapljanje scuba diving
potapljaška obleka wetsuit

potapljati se to dive
potem then
potisniti to push
potni list passport
potnik *(m)*/**potnica** *(f)* passenger
potovalni ček traveller's cheque
potovanje journey; travel *(n)*
potrdilo o prejemu receipt
potrditi to confirm
potrebovati to need
povabiti to invite
povedati to tell
povračilo refund *(n)*
povratna karta return ticket
povsod everywhere
pozen late
praktičen practical
pralnica launderette
pralni prašek washing powder
pralni stroj washing machine
prašek powder
prati to wash *(clothes)*
pravica right *(n)*
pravilen correct
pravkar just
prazen empty
pre- too; **preslab** too bad
precej quite a lot of
prečkati to cross *(road)*
pred before *(prep)*; in front of
predlagati to suggest, to propose
predmestje suburb
predmet item; object
predstava performance
predvčerajšnjim the day before
  yesterday
prehlad cold *(n)*; **prehlajen sem**
  I have a cold

prej before *(adv)*
prejeti to receive; to get
prejšnji previous; former
prelaz pass *(n) (through mountains)*
preliv dressing
prenašati to put up with
prenosni CD predvajalnik
  personal stereo
prenosni računalnik laptop
prepovedan forbidden
prepoznati to recognize
preproga rug
presenečenje surprise *(n)*
presenetiti to surprise
presežek excess; surplus
pretep fight; scuffle
pretežek overweight
preveč too much; too many;
  preveč kuhan overdone
  (cooked); **preveč pečen**
  overdone *(baked)*
preveriti to check
prevesti to translate
prevleka cover *(n)*
prevleka za blazino pillowcase
pri at; **živim pri starših** I live at
  my parents' house
prigrizek snack
prihod arrival
priimek surname; **dekliški
  priimek** maiden name
prijatelj *(m)*/**prijateljica** *(f)* friend
prijava check-in *(n)*
prijaviti se to check in
prijazen nice
priloga supplement *(in newspaper)*;
  side dish
priložnost opportunity

prinesti to bring
priporočiti to recommend
pripraviti to prepare
pripravljen ready
pristan quay
pristanišče port
priti to arrive; to come
pritisk pressure
pritisniti to press
priti ven to come out
pritličje ground floor
pritoževati se to complain
privaten private
prizadet handicapped
prižgati to light; to switch on
problem problem
procesija procession
prodajalec *(m)*/**prodajalka** *(f)*
  shop assistant
prodajalec časopisov newsagent
prodati to sell
proga line *(bus)*
program programme
promet traffic
prometni zamašek traffic jam
prometni znak road sign
prosim please; hello *(on the
  phone)*
prositi to ask *(for help)*
prostor place
proti against; towards
prsi chest
prst finger
prstan ring
prtiček napkin
prtljaga baggage, luggage
prtljažnik boot *(of car)*
prvi first

pulover jumper, sweater
punca girl; girlfriend
pustiti to leave (behind)
puščati to leak

R

rabljen second-hand; used
raca duck
račun bill
računalnik computer
rad bi … I'd like …
radiator radiator
radijska postaja radio station
rad imeti to like
radio radio
rajši, raje rather; **imeti rajši/raje** to prefer
rama shoulder
rana wound
rasist racist
rasti to grow
rastlina plant
ravno just
razbit broken *(cup, plate)*
razbiti to break *(cup, plate)*
razdeliti to split up; to divide
razen except
razgled view
razglednica postcard
razkošen luxury *(adj)*
razkošje luxury *(n)*
razkužilo surgical spirit
razkužiti to disinfect
razmišljati o to think about
razpoložljiv available
razprodaja sales
razstava exhibition

razumen reasonable; sensible
razumeti to understand
razviti to develop
raženj barbecue
rdeč red
rdečelas red-haired
rebro rib
recepcija reception
recept recipe
receptor *(m)*/**receptorka** *(f)* receptionist
reči to say
redek rare
redko rarely; seldom
registracijska številka registration number
registriran registered
reka river
rentgen X-rays
resen serious
resničen true
restavracija restaurant
restavracija s hitro hrano fast-food restaurant
rešilec ambulance
rešiti to save *(rescue)*
reven poor *(not rich)*
revija magazine
revmatizem rheumatism
rezati to cut
rezerven spare
rezerviran reserved
rezervirati to book, to reserve
rezervna guma spare tyre
rezervni del spare part
rezervno kolo spare wheel
rezina slice
riba fish *(n)*

ribarnica fish shop; fishmonger's
rjav brown
rjuha sheet
robček handkerchief
ročna prtljaga hand luggage
ročna torbica handbag
ročna zavora handbrake
ročno izdelan hand-made
rojstni dan birthday
rojstni datum date of birth
roka arm; hand
rokav sleeve; **s kratkimi rokavi** short-sleeved
rok uporabe expiry date
roman novel
roza pink
roze vino rosé wine
rumen yellow
ruševine ruins

S

s with; by; **s podnapisi** subtitled; **s kolesom** by bike
samo only; **samo trenutek!** hold on! *(on the phone)*
samostan monastery
samoumeven obvious
samski single *(unmarried)*
sandali sandals
sedaj now
sedanjost present *(in time)*
sedež seat
sedežnica chairlift
sejem fair *(n)*
senca shade
senčnik beach umbrella
seneni nahod hay fever

september September
sestanek meeting; appointment
sestra sister; **medicinska sestra** nurse
seveda of course
sever north
sezona season
shraniti to save *(keep)*
sicer otherwise
signal signal
sila: v sili in an emergency
SIM kartica SIM card
sin son
sinagoga synagogue
sirup syrup
siv grey
skala rock
sklopka clutch
skodelica cup
skoraj almost
skupaj together
slab poor, bad; **slabo mi je** I feel sick
slaboten weak
slabši worse *(adj)*
sladek sweet *(adj)*
sladica dessert; sweet *(n)*
sladkorna bolezen diabetes
slan salty
slep blind
slika painting
slišati to hear
Slovenec *(m)*/**Slovenka** *(f)* Slovene *(n)*
Slovenija Slovenia
slovenski Slovene *(adj)*
slovenščina Slovene *(language)*
slučaj: za vsak slučaj just in case

služba job
smejati se to laugh
smer direction
smeti rubbish
smetnjak dustbin
smrdeti to stink
smučanje skiing; **iti na smučanje** to go skiing
smučanje na vodi waterskiing
smučarska palica ski pole
smučarski čevlji ski boots
smučarsko središče ski resort
smučati to ski
sneg snow *(n)*
snežiti: sneži it's snowing
soba room
sobota Saturday
sodoben modern; contemporary
sok juice
sol salt
soljen salted
sonce sun
sončarica sunstroke
sončiti se to sunbathe
sončna očala sunglasses
sončna opeklina sunburn
sončni vzhod sunrise
sončni zahod sunset
sosed *(m)*/**soseda** *(f)* neighbour
sovražiti to hate
spakirati kovček to pack one's suitcase
spalna srajca nightdress
spalna vreča sleeping bag
spanje sleep *(n)*
spati to sleep; **spati s/z** to sleep with
specialiteta special *(n) (in restaurant)*

speči se to burn oneself
splet Internet
spletna kavarna Internet café
spletna stran website
sploščen flat *(adj)*
splošen general
splošni zdravnik *(m)*/**splošna zdravnica** *(f)* GP
spodaj downstairs; underneath; below *(adv)*
spodnje perilo underwear
spodnjice pants
spol gender
spomenik monument
spominek souvenir
spominska kartica memory card
spomniti to remind
spomniti se to remember
sporočilo message
spredaj in front
sprednji forward *(adj)*
sprednji del front
sprehod walk *(n)*; **iti na sprehod** to go for a walk
sprejeti to accept
sprememba change *(n)*
spremeniti to change
srajca shirt
sramota shame
srbeti: srbi me it's itchy
srce heart
srčni napad heart attack
srebrn silver
sreča luck
srečati se to meet
srečen happy; lucky
sreda Wednesday

središče centre
srednja šola secondary school
srednji (adj) medium; middle
sredstvo proti zanositvi
  contraceptive
stadion stadium
stanovanje flat (n)
star old
staro mesto old town
starost age
starši parents
stati v vrsti to queue
stavek sentence
stegno thigh
steklenica bottle
steklenička baby's bottle
stik contact (n)
stil style
stol chair
stoletje century
stopinja degree
stopnice stairs
stran side; page
strašen terrible
stvar thing
suh dry; thin
suknjič jacket
super 95 four-star petrol
supermarket supermarket
surf surfboard
surfanje windsurfing; surfing; **iti
  na surfanje** to go surfing
surfati to surf
surov raw
sušilec za lase hairdrier
sušiti to dry
sveča candle
svečka spark plug

svet world
svetel light (adj)
svetilka lamp; torch
svetilnik lighthouse
svetovati to advise
svinčnik pencil
svoj one's own

Š

šampon shampoo
ščetka toothbrush
ščurek cockroach
še still; **še enkrat** again
širok wide
škarje scissors
škoda je it's a pity
škornji boots
Škot Scotsman
Škotinja Scotswoman
Škotska Scotland
škotski Scottish; **škotski viski**
  scotch (whisky)
škrlaten purple
šok shock
šokantno shocking
šotor tent; **šotorsko dno** ground
  sheet
šport sport
športen sporty
športno igrišče sports ground
šteti to count
števec meter
števec za elektriko electricity
  meter
številka number
štopanje hitchhiking
štopati to hitchhike

študent *(m)*/**študentka** *(f)*
student
študij studies
študirati to study

T

ta this; that
tableta tablet, pill
tako so
takoj right away; **takoj ko** as
soon as
taksi taxi
taksist *(m)*/**taksista** taxi driver
tam there
tampon tampon
tanek thin
tat thief
teden week
tek jogging
tekma match *(game)*
tekočina za pomivanje posode
washing-up liquid
telefon phone *(n)*
telefonirati to phone
telefonist *(m)*/**telefonistka** *(f)*
switchboard operator
telefonska govorilnica phone
box
telefonska kartica phonecard;
top-up card
telefonska številka phone
number
telefonska tajnica answering
machine
telefonske informacije directory
enquiries
telefonski imenik directory

telefonski klic phone call
televizija television
telo body
tematski park theme park
temen dark
tempelj temple
temperatura temperature
tenis tennis
teniški copat tennis shoe
teniško igrišče tennis court
terasa terrace
terminal terminal
termometer thermometer
termovka flask
tesen tight *(adj)*
težava trouble
težek difficult; heavy
ti these
ti you *(informal)*
tih quiet
tip type *(n)*
tipičen typical
tipkati to type
tisk to press
tisti that; those
tla floor; ground
tlačilka za kolo bicycle pump
toaletna torbica toilet bag
toaletne potrebščine toiletries
toaletni papir toilet paper
tobak tobacco
točen on time
točeno pivo draught beer
točka point
topel warm
torba bag
torek Tuesday
tovarna factory

tovornjak lorry
tradicionalen traditional
trafika tobacconist's
trajati to last
trajekt ferry
tramvaj tram
trava grass
trd hard
trebuh stomach
trenutek moment
trenutno at the moment
trg square
trgovina shop
trgovina z živili grocer's
trgovski center shopping centre
trpeti to suffer
trska splinter
tržnica market
tudi also
tuj foreign
tujec *(m)*/**tujka** *(f)* foreigner
tukaj here
turist *(m)*/**turistka** *(f)* tourist
turistična agencija travel agency
turistične informacije tourist
  office
tuš shower
tuširati se to take a shower
tvegati to risk
tvoj your; yours *(informal)*

U

ubiti to kill
učiti se to learn
udoben comfortable
ugajati to please
ugasniti to switch off

uhani earrings
uho ear
ujeti to catch
ukazati to order
ulica street
ulica za pešce pedestrianized
  street
umakniti se to withdraw
umazan dirty *(adj)*
umetnik *(m)*/**umetnica** *(f)* artist
umetnina work of art
umetnost art
umiti se to have a wash
umivalnik washbasin
umreti to die
uporabljati to use
upravljati to manage; to run
ura watch; clock; hour; **koliko je
  ura?** what is the time?
urediti to arrange
usesti se to sit down
usluga favour
uspavalo sleeping pill
uspeti to succeed
usta mouth
ustaviti to stop
ustnica lip
utopiti to drown
utrujen tired
**utrujenost zaradi časovne
  razlike** jetlag
užitek pleasure; enjoyment
uživati to enjoy oneself

VW

v at; in; **on je na koncertu** he is
  at the concert; **moj sin je v šoli**

my son is in school; **v primeru … ** in case of …; **v redu** OK; **v tujini** abroad
val wave
Valižan Welshman
Valižanka Welshwoman
valižanski Welsh *(adj)*
valuta currency
varen safe; secure
varnost safety; security
varnostni pas safety belt
varovalka fuse
vas village
vaš your; yours *(formal)*
vata cotton wool
vatirana palčka cotton bud
važen: ni važno it doesn't matter
včasih sometimes
včeraj yesterday
več more
večer evening
večerja dinner
večerjati to have dinner
vedeti to know; **ne vem** I don't know
vedno always
vegetarijanski vegetarian *(adj)*
veleblagovnica department store
velik big; great
Velika Britanija Great Britain
velika noč Easter
veliko a lot (of); many
velikost size
veljaven (za) valid (for)
vendar however; anyway
ventilator fan *(electric)*
ventil za zapiranje vode stopcock

verjeti to believe
verjetno probably
ves all
vesel happy
veter wind
vetrobran windscreen
vhod entrance; way in
vi you *(formal)*
videti to see
vikend weekend
vila villa
vilice fork
vino wine; **belo vino** white wine
visok high; tall
visok krvni pritisk high blood pressure
vitraž stained-glass windows
vizum visa
vključen inclusive; included
vključiti to plug in; to include
vklopiti to plug in
vkrcanje boarding *(of plane)*
vlak train
vlažen damp
vlažilna krema moisturizer
vleči to pull
vlečna služba breakdown service
vlečnica ski lift; T-bar
vnaprej in advance
vnetje slepiča appendicitis
voda water
voden ogled guided tour
vodnik guidebook
vodnik *(m)*/**vodnica** (f) guide
vodovodar plumber
volna wool
vonj flavour; smell *(n)*
voziček trolley

voziti to drive
vozni red timetable
vozniško dovoljenje driving licence
vozovnica ticket *(for travelling)*
vozovnica s popustom discount fare
vprašanje question
vprašati to ask
vrat neck
vrata door; gate
vrč jug
vreči to throw
vreči ven to throw out
vreden worth
vreme weather
vremenska napoved weather forecast
vrh summit; top
vrniti to give back; to return; to refund
vrniti se to come back, to return
vroč hot
vroča čokolada hot chocolate
vročina heat; fever
vrsta queue; **vi ste na vrsti** it's your turn
vrt garden
vsaj at least
vsak every; each
vseeno all the same
vseeno mi je I don't mind
vsi everybody, everyone
vstati to get up
vstopiti to come in
vstopnica entrance ticket
vstopnina admission
vštet included

vtič plug
vzeti to take
vzhod east
vzleteti to take off *(plane)*
vznemirjen upset *(adj)*
vzratna prestava reverse gear
vžigalica match *(for fire)*
vžigalnik lighter

Wales Wales
walkman Walkman®
wc toilet

Z

z with; by; **z avtom** by car; **z mano** with me; **z manj maščobami** low-fat
za for; behind *(prep)*; **za enkratno uporabo** disposable; **za s sabo** takeaway
zabava party
začasen temporary
začetek start; beginning
začeti to begin
začetnik *(m)*/**začetnica** *(f)* beginner
začimba spice
začinjen spicy
zadaj behind *(adv)*
zadnja stran back
zadnji last *(adj)*
zadovoljen pleased
zadrga zip
zahod west
zahvaliti se to thank
zahvaljujoč se thanks to
zajtrk breakfast

zajtrkovati to have breakfast
zakaj why
zakleniti to lock
zalivka filling *(in tooth)*
zaloga: ni na zalogi out of stock
zamaški za ušesa earplugs
zamenjati to change *(money, clothes)*
zamrzovalnik freezer
zamuda delay; **letalo ima zamudo** the plane is delayed
zamuditi to be late for, to miss
zapestje wrist
zapiralni čas closing time
zapomniti si to remember *(not forget)*
zaposlen busy; employed
zapraviti to spend *(money)*
zapreti to close, to shut
zaprt closed; constipated; shut
zaračunati to charge
zaradi because of
zaročenec fiancé
zaročenka fiancée
zaseben private
zaseden engaged
zasilen izhod emergency exit
zaspan sleepy
zaspati to fall asleep
zastarel out of date
zastonj free
zastrupitev s hrano food poisoning
zaščititi to protect
zato therefore
zavarovanje insurance
zavirati to brake
zavitek packet

zaviti to turn
zaviti kot darilo to gift-wrap
zavora brake *(n)*
zbirka collection
zbiti na tla to knock down
zboleti to fall ill
zbuditi se to wake up
zdeti se to seem; **zdi se, da ...** it seems that ...
zdravilo medicine
zdravje health
zdravnik *(m)*/**zdravnica** *(f)* doctor
Združene države United States
Združeno kraljestvo United Kingdom
zebe me I'm cold
zelen green
zelo very
zemlja earth
zemljevid map
zgodaj early
zgoditi se to happen
zgoraj upstairs
zgoščenka CD
zgradba building
zima winter
zlata žila piles
zlom fracture
zlomiti to break *(arm, leg)*
zlomljen broken *(arm, leg)*
zmanjkati to run out of
zmanjšati to reduce
znak sign *(n)*
znamka stamp
znan well-known
znižanje reduction
znoj sweat

znotraj inside
znova again
zob tooth
zobna pasta toothpaste
zobna ščetka toothbrush
zobozdravnik *(m)*/
  zobozdravnica *(f)* dentist
zrak air
zrel ripe
zum zoom (lens)
zunaj outside
zveza connection
zvezek notebook
zviti: zviti si gleženj to sprain
  one's ankle

Ž

žal mi je I'm sorry
žalosten sad; sorry
žarnica light bulb

žaromet headlight
že already
žebelj nail
žeja thirst
žejen thirsty
železniška postaja train station
želodčna gripa gastric flu
žena wife
ženska woman
ženski ladies' (toilet)
žimnica mattress
živ alive
žival animal
živalski vrt zoo
živčen nervous
živeti to live
živjo! hi!
življenje life
žlica spoon
žulj blister

GRAMMAR

NOUNS

Slovene has no **articles**, ie no words for **the** and **a**. The context will usually indicate whether a noun is definite or indefinite.

Nouns can be one of three **genders**: masculine, feminine or neuter. The gender of a noun is indicated by its ending. Most nouns ending in a consonant are masculine, most nouns ending in **-a** are feminine and most nouns ending in **-o** or **-e** are neuter.

Slovene nouns (and adjectives) have six **cases**: nominative, genitive, dative, accusative, locative and instrumental.

The **nominative**, which is the form given in dictionaries, denotes the subject of a sentence, ie the person or thing that performs the action of the verb:

> **moja sestra študira na univerzi** my sister is studying
> at the university

The **accusative** is used to indicate the direct object, ie the recipient of the action of the verb:

> **Janez bere knjigo/časopis/pismo** Janez is reading
> a book/newspaper/letter

The accusative is also used after the prepositions **v** (to/into) and **na** (on/onto) to indicate motion or direction towards someone or something:

> **grem v Ljubljano/na vas** I am going to Ljubljana /to
> the countryside

The **genitive** is used to denote the direct object of a verb in the negative:

> **Janez ne bere knjige/časopisa/pisma** Janez is not
> reading a book/newspaper/letter

The genitive is also used after certain numerals, nouns and adverbs to denote a measure or amount of something:

> **koliko znamk?** how many stamps?
> **pet študentov** five students
> **nekaj dni** a few days

The **dative** is used to denote the indirect object of verbs, ie the person, recipient, beneficiary for whom the action is performed:

> **poslal bom pismo tvoji sestri** I will send a letter to your sister

dal sem receptorju ključ I gave the key to the receptionist

The dative is also used with a few prepositions: **k** (to/towards) and **proti** (towards):

gre k zdravniku he's going to the doctor
vozimo se proti Ljubljani we're driving towards Ljubljana

The **instrumental** is always used with a preposition to indicate with whom or what an action is performed or to indicate the position of an object or the time during which an action takes place:

govori z bratom he is speaking with his brother
pes je pod mizo the dog is under the table
med počitnicami veliko potuje he travels a lot during the holidays

The **locative** is always used with a preposition and indicates the place where or time when an event occurs:

v pekarni in the bakers
ob petkih on Fridays
jaz počivam po kosilu I rest after lunch

A peculiarity of Slovene is that, unlike other European languages, it has not only singular (referring to one) and plural (referring to more than one) but also a form called "dual", which denotes two persons or objects as opposed to three or more. The dual has distinct noun, adjective, pronoun and verb forms, eg:

miza table
mizi two tables
mize tables (ie three or more)

The basic noun declensions are as follows:

Masculine nouns

stol (chair)

	singular	dual	plural
nom	**stol**	**stola**	**stoli**
gen	**stola**	**stolov**	**stolov**
dat	**stolu**	**stoloma**	**stolom**
acc	**stol**	**stola**	**stole**
loc	**pri stolu**	**stolih**	**stolih**
instr	**s stolom**	**stoloma**	**stoli**

NB:
(i) Animate masculine nouns have an accusative singular form identical to the genitive singular form, eg friend = **prijatelj** (nom), **prijatelja** (gen/acc)
(ii) If a masculine noun ends in **c**, **č**, **š**, **ž** or **j** then the endings **-om**, **-oma**, **-ov** are replaced by **-em**, **-ema**, **-ev** respectively, eg uncle = **stric** (nom), **s stricem** (instr sing), **stricev** (gen plur), etc.
(iii) Most masculine nouns ending in **-r** and some foreign loanwords in **-a**, **-i** add **-j-** before the case endings, eg potato = **krompir**, **krompirja** (gen sing), **krompirju** (dat sing); taxi = **taksi**, **taksija** (gen sing), **taksiju** (dat sing)

Feminine nouns in -a

miza (table)

	singular	dual	plural
nom	**miza**	**mizi**	**mize**
gen	**mize**	**miz**	**miz**
dat	**mizi**	**mizama**	**mizam**
acc	**mizo**	**mizi**	**mize**
loc	**pri mizi**	**mizah**	**mizah**
instr	**z mizo**	**mizama**	**mizami**

NB: Feminine nouns in **-ev** follow the above pattern except they lose the final **-e-** in declension and retain the ending **-ev** in the nominative and accusative singular and genitive plural, eg church = **cerkev**, **cerkve** (gen sing), **cerkvi** (dat sing).

Feminine nouns ending in a consonant have two basic declensions:

(a) single-syllable nouns

noč (night)

	singular	dual	plural
nom	**noč**	**noči**	**noči**
gen	**noči**	**noči**	**noči**
dat	**noči**	**nočema**	**nočem**
acc	**noč**	**noči**	**noči**
loc	**pri noči**	**nočeh**	**nočeh**
instr	**z nočjo**	**nočema**	**nočmi**

(b) nouns of two or more syllables

žival (animal)

	singular	dual	plural
nom	**žival**	živali	živali
gen	**živali**	živali	živali
dat	**živali**	živalma	živalim
acc	**žival**	živali	živali
loc	**pri živali**	živalih	živalih
instr	**z živaljo**	živalma	živalmi

Neuter nouns

mesto (town)

	singular	dual	plural
nom	**mesto**	**mesti**	**mesta**
gen	**mesta**	**mest**	**mest**
dat	**mestu**	**mestoma**	**mestom**
acc	**mesto**	**mesti**	**mesta**
loc	**pri mestu**	**mestih**	**mestih**
instr	**z mestom**	**mestoma**	**mesti**

NB: Neuter nouns ending in **-e** replace the endings **-om**, **-oma** with **-em**, **-ema**, eg field = **polje**, **poljem** (instr sing), **poljema** (dat dual).

Plural nouns

Some nouns are only used in the plural, eg **hlače** *(f)* trousers, **starši** *(m)* parents, **očala** *(n)* spectacles. Certain other nouns are normally used in their plural form rather than their expected dual form. These include nouns such as parts of the body or articles that normally occur in pairs, eg **noge** (legs), **roke** (hands), **smuči** (skis), **čevlji** (shoes).

ADJECTIVES

Adjectives normally precede nouns and decline, ie they agree in gender, case and number with the noun they qualify, eg:

> **nove mize** (gen sing)　　　of a/the new table
>
> **z novima študentoma**　　with the two new students
> (instr dual)

Only the masculine nominative singular form of adjectives has two forms to distinguish between definite and indefinite, eg

nov stol a new table
novi stol the new table

The masculine accusative singular is the same as the genitive singular if it agrees with a masculine animate noun, eg **vidim novega zdravnika** (I see the new doctor) but **vidim nov stol** (I see the new chair).

In the dual and plural, gender is only distinguished in the nominative and accusative cases.

The basic adjective declensions are as follows:

nov (new)

singular

	masculine	feminine	neuter
nom	**nov/novi**	**nova**	**novo**
gen	**novega**	**nove**	**novega**
dat	**novemu**	**novi**	**novemu**
acc	**nov/novi, novega**	**novo**	**novo**
loc	**pri novem**	**novi**	**novem**
instr	**z novim**	**novo**	**novim**

dual

	masculine	feminine	neuter
nom	**nova**	**novi**	**novi**
gen	**novih**	**novih**	**novih**
dat	**novima**	**novima**	**novima**
acc	**nova**	**novi**	**novi**
loc	**pri novih**	**novih**	**novih**
instr	**z novima**	**novima**	**novima**

plural

	masculine	feminine	neuter
nom	**novi**	**nove**	**nova**
gen	**novih**	**novih**	**novih**
dat	**novim**	**novim**	**novim**
acc	**nove**	**nove**	**nova**
loc	**pri novih**	**novih**	**novih**
instr	**z novimi**	**novimi**	**novimi**

The **comparative** (more + adjective) declines like an adjective and is formed in one of the following ways

(i) by adding **-ši**, **-ša**, **-še**, eg beautiful = **lep**; more beautiful = **lepši**, **lepša**, **lepše**
(ii) by adding **-ejši**, **-ejša**, **-ejše**, eg new = **nov**; newer = **novejši**, **novejša**, **novejše**
(iii) by adding **-ji**, **-ja**, **-je**, eg expensive = **drag**; more expensive = **dražji**, **dražja**, **dražje**

It is also possible to form the comparative by using the invariable form **bolj** in front of the simple adjective, eg

> **Marko ima bolj zanimivo knjigo**   Marko has a more interesting book

The **superlative** (most + adjective) is formed simply by putting **naj-** in front of the comparative form, eg:

> **najlepša slika** the most beautiful picture
> **najnovejši avto** the newest car
> **najdražje pivo** the most expensive beer
> **najbolj zanimiva knjiga** the most interesting book

PRONOUNS

Personal pronouns do not indicate gender in the first person singular (I) and second person singular (you) but they do in the third person singular (he, she or it). The first, second and third persons indicate gender in the dual and plural but only in the nominative case.

First person

	singular (I)	dual (we)	plural (we)
nom	**jaz**	**midva** (m)/ **medve** (f or n)	**mi** (m)/**me** (f or n)
gen	**mene (me)**	**naju**	**nas**
dat	**meni (mi)**	**nama**	**nam**
acc	**mene (me)**	**naju**	**nas**
loc	**pri meni**	**naju**	**nas**
instr	**z menoj/mano**	**nama**	**nami**

Second person

	singular (you)	dual (you)	plural (you)
nom	**ti**	**vidva** (m)/ **vedve** (f or n)	**vi** (m)/**ve** (f or n)
gen	**tebe** (te)	**vaju**	**vas**
dat	**tebi** (ti)	**vama**	**vam**
acc	**tebe** (te)	**vaju**	**vas**
loc	**pri tebi**	**vaju**	**vas**
instr	**s teboj/tabo**	**z vama**	**vami**

Third person (singular)

	masculine (he)	feminine (she)	neuter (it)
nom	**on**	**ona**	**ono**
gen	**njega** (ga)	**nje** (je)	**njega** (ga)
dat	**njemu** (mu)	**njej** (ji)	**njemu** (mu)
acc	**njega** (ga)	**njo** (jo)	**njega** (ga)
loc	**pri njem**	**njej**	**njem**
instr	**z njim**	**njo**	**njim**

Third person (dual and plural)

	dual (they)	plural (they)
nom	**onadva** (m)/**onidve** (f or n)	**oni** (m) **one** (f) **ona** (n)
gen	**njiju** (ju)	**njih** (jih)
dat	**njima** (jima)	**njim** (jim)
acc	**njiju** (ju)	**njih** (jih)
loc	**pri njiju**	**njih**
instr	**z njima**	**njimi**

The short forms in brackets in the genitive, dative and accusative are the forms normally used. The longer forms are only used for emphasis or after prepositions, eg:

> **vidim jo** I see her
> **k njemu** to him
> **ali jih poznaš?** do you know them?

The **possessive pronouns moj** (my), **tvoj** (your sing), **njegov** (his), **njen** (her), **naš** (our plural), **najin** (our dual), **vaš** (your plural), **vajin** (your dual), **njihov** (their plural), **njun** (their dual), **svoj** (one's) and the pronouns **kateri** (which, what), **kakšen** (what sort/kind of) all decline like adjectives and agree in case, gender and number with the noun they qualify:

z njunimi starši with their parents
njegov sin his son
katero obleko imate raje? which dress do you prefer?
kakšne velikosti je ta jakna? what size is this jacket?

NUMBERS

The **cardinal numbers** (1, 2, 3, 4, 5 etc) behave rather like adjectives. The number 1 on its own or as the last part of a compound number (eg 101) agrees in gender and number with the noun it qualifies:

> **sto ena znamka** 101 stamps

The number 2 on its own or as the last part of a compound (eg 102) has a nominative and accusative dual form **dva** (*m*), **dve** (*f* or *n*) and agrees with the dual forms of nouns

> **dve obleki** two dresses
> **z dvema kolegoma** with two colleagues

The numbers 3 and 4 have the nominative forms **trije** (*m*), **tri** (*f* or *n*), **štirje** (*m*), **štiri** (*f* or *n*) and the accusative forms **tri** and **štiri**. They decline like the plural forms of adjectives and agree with the noun

> **trije hlebci** three loaves
> **obvlada štiri jezike** he speaks four languages

The numbers 5 and over take the genitive case of nouns when used in the nominative and accusative. In the other cases they behave like adjectives and agree with the noun case

> **pet turistov** five tourists
> **s petimi turisti** with five tourists

VERBS

The **infinitive** forms of verbs end in either **-ti** or **-či**.

Nearly all verbs have two infinitive forms which is a feature of all Slavonic languages. The fundamental difference is that the so-called **perfective** form expresses the completed action or its expected completion, whereas the so-called **imperfective** form does not explicitly characterize the action in this way but focuses on its progress, frequency, repetition or duration. The difference between the two forms is usually a prefix or a change in the root, eg

kuhati/skuhati to cook (imperf/perf)
kupovati/kupiti to buy (imperf/perf)

An example of the difference can be seen in the following example.

mati kuha kosilo mother is cooking lunch
včeraj je oče skuhal kosilo yesterday father cooked lunch

There are basically three conjugations into which the majority of verbs fall:
-a-, **-i-** or **-e-**. Many verbs have these vowels in the their infinitive form
and the present tense is then formed simply by dropping the ending **-ti**
and then adding the present tense endings. This is not always the case,
however, and a verb in **-ati**, for example, might have a present conjugation
in **-e-**, eg **pisati/pišem** to write/I write.

The **present** is formed by adding the following endings to the present
tense vowel:

	singular	dual	plural
first person	**-m**	**-va**	**-mo**
second person	**-š**	**-ta**	**-te**
third person	**-Ø**	**-ta**	**-jo**

Basic conjugations

delati (to do)   **misliti** (to think)   **razumeti** (to understand)

Singular

1 jaz	**delam** (I do)	**mislim** (I think)	**razumem** (I understand)
2 ti	**delaš** (you do)	**misliš** (you think)	**razumeš** (you understand)
3 on/ona/ona	**dela** (he/she/it does)	**misli** (he/she/it thinks)	**razume** (he/she/it understands)

Dual

1 midva/medve (m/f)	**delava** (we do)	**misliva** (we think)	**razumeva** (we understand)
2 vidva/vedve (m/f)	**delata** (you do)	**mislita** (you think)	**razumeta** (you understand)
3 onadva/onidve (m/f/n)	**delata** (they do)	**mislita** (they think)	**razumeta** (they understand)

Plural

1 mi/me (m/f)	**delamo** (we do)	**mislimo** (we think)	**razumemo** (we understand)
2 vi/ve (m/f)	**delate** (you do)	**mislite** (you think)	**razumete** (you understand)
3 oni/one/ona (m/f/n)	**delajo** (they do)	**mislijo** (they think)	**razumejo** (they understand)

There are some common irregular verbs worth learning:
biti (to be), **dati** (to give), **iti** (to go), **jesti** (to eat), **vedeti** (to know)

	biti	dati	iti	jesti	vedeti
Singular					
1	sem	dam	grem	jem	vem
2	si	daš	greš	ješ	veš
3	je	da	gre	je	ve
Dual					
1	sva	dava	greva	jeva	veva
2	sta	dasta	gresta	jesta	vesta
3	sta	dasta	gresta	jesta	vesta
Plural					
1	smo	damo	gremo	jemo	vemo
2	ste	daste	greste	jeste	veste
3	so	dajo	grejo	jejo	vejo

The **negative** is formed by preceding the verb with the word **ne**:
    ne vem I don't know

The negative form of the verb **biti** (to be) is formed by adding the prefix **ni-** to the present tense form, ie **nisem**, **nisi** etc. The only exception is the third person singular which is simply **ni**.

The only other tenses you need to know are the **past**, **future** and **conditional** which are all formed using the so-called **-l** participle of the verb, which indicates number and gender.

	masculine	feminine	neuter
singular	**-l**	**-la**	**-lo**
dual	**-la**	**-li**	**-li**
plural	**-li**	**-le**	**-la**

From the basic conjugations the participle is formed by dropping the final **-ti** of the infinitive and adding the **-l** forms, eg:

> **delati** (infinitive) → **dela** (infinitive minus final **-ti**) → **delal, delala, delalo** etc

For verbs in **-či** it is added to the original now obscured root consonant:

> **peči** (to bake) → **pekel, pekla, peklo** etc

The verb **iti** (to go) has an irregular **-l** participle form: **šel, šla, šli** etc.

The **past tense** is formed by using the present tense of the verb **biti** (to be) with the **-l** participle:

> **ste videli** you saw
> **sva šla** we (dual) went
> **ni mogla** she couldn't

The **future tense** is formed from the future of the verb **biti** (to be) and the **-l** participle:

Future of **biti**

	singular	dual	plural
1	**bom**	**bova**	**bomo**
2	**boš**	**bosta**	**boste**
3	**bo**	**bosta**	**bodo**

Examples:

> **bom bral** I will read
> **bodo čakale** they will wait (feminine plural)

The negative is formed by putting the word **ne** before the future verb form:

> **ne bom bral** I will not read

The **conditional** is formed by using the invariable word **bi** for all persons with the **-l** participle forms. The person will be indicated either by a personal pronoun, a noun subject or the context:

> **mi bi šli na kavo** we would go for a coffee
> **brat bi rekel** (my/his/her etc) brother would say

Questions are formed by using **a/ali**:

> **ali prideš?** will you come?
> **a razumete?** do you understand?
> **a niste videli?** didn't you see?

HOLIDAYS AND FESTIVALS

NATIONAL BANK HOLIDAYS

1 and 2 January	**novo leto** (New Year)
8 February	**Prešernov dan, slovenski kulturni praznik** (Prešeren day, Slovenian Cultural Day)
Easter Sunday and Monday	**velikonočna nedelja in velikonočni ponedeljek**
27 April	**dan upora proti okupatorju** (Day of Uprising Against the Occupation)
1 and 2 May	**praznik dela** (Labour Day)
25 June	**dan državnosti** (National Day)
15 August	**Marijino vnebovzetje** (Assumption)
31 October	**dan reformacije** (Reformation Day)
1 November	**dan spomina na mrtve** (All Saints' Day)
25 December	**božič** (Christmas)
26 December	**dan samostojnosti in enotnosti** (Independence and Unity Day)

FESTIVALS AND CELEBRATIONS

Christmas (**božič**) is the most popular religious and family holiday in Slovenia. Slovenes decorate Christmas trees and write postcards to family and friends, wishing them a peaceful and happy holiday season. On Christmas Eve it is common for a family to get together and have dinner at home. At midnight they go to midnight mass (**polnočnica**) together. It is also common to exchange gifts.

Easter (**velika noč**) is also an important religious holiday. On Holy Saturday most people in Slovenia bring various foods (cooked ham, home-made bread, horseradish, Easter eggs etc) to church for blessing. Coloured Easter eggs have a long tradition in Slovenia and there are different names for them in different regions (such as **pirhi**, **remenice**, **pisanke**), as every region has its own way of making them. Easter Sunday is a day to stay at home with the family, while on Easter Monday many people visit friends or family or go off for a day spent hiking, cycling and so on.

Summer is the time for different festivals, such as the Ljubljana summer festival, the Lent Festival in Maribor, the Rock Otočec festival, known as the Slovenian Woodstock, and many more.

USEFUL ADDRESSES

IN THE UK
Embassy of Slovenia
10 Little College Street
London SW1P 3SJ
Tel: 020 7222 5400
Fax: 020 7222 5277
Website: http://london.
veleposlanistvo.si

IN THE USA
Embassy of the Republic of Slovenia
1525 New Hampshire Avenue, NW
Washington DC 20036
Tel: (202) 667-5363
Fax: (202) 667-4563
Website: http://washington.
veleposlanistvo.si

IN SLOVENIA
British Embassy
Trg republike 3
1000 Ljubljana
Tel: (00 386) 1 200 3910
Fax: (00 386) 1 425 0174
Out of office emergency number: (00 386) 41 668 553
E-mail: info@british-embassy.si
Website: http://www.british-embassy.si

US Embassy
Prešernova 31
1000 Ljubljana
Tel: (00 386) 1 200 5500
Fax: (00 386) 1 200-5555

EMERGENCY NUMBERS
Police **113**
Fire and ambulance **112**

CONVERSION TABLES

Note that when writing numbers, Slovene uses a comma where English uses a full stop. For example 0.6 would be written 0,6 in Slovene.

Measurements

Only the metric system is used in Slovenia.

Length
1 cm ≈ 0.4 inches
30 cm ≈ 1 foot

Distance
1 metre ≈ 1 yard
1 km ≈ 0.6 miles

To convert kilometres into miles, divide by 8 and then multiply by 5.

kilometres	1	2	5	10	20	100
miles	0.6	1.25	3.1	6.25	12.50	62.5

To convert miles into kilometres, divide by 5 and then multiply by 8.

miles	1	2	5	10	20	100
kilometres	1.6	3.2	8	16	32	160

Weight

25g ≈ 1 oz   1 kg ≈ 2 lb   6 kg ≈ 1 stone

To convert kilos into pounds, divide by 5 and then multiply by 11.
To convert pounds into kilos, multiply by 5 and then divide by 11.

kilos	1	2	10	20	60	80
pounds	2.2	4.4	22	44	132	176

Liquid

1 litre ≈ 2 pints
4.5 litres ≈ 1 gallon

Temperature

To convert temperatures in Fahrenheit into Celsius, subtract 32, multiply by 5 and then divide by 9.
To convert temperatures in Celsius into Fahrenheit, divide by 5, multiply by 9 and then add 32.

Fahrenheit (°F)	32	40	50	59	68	86	100
Celsius (°C)	0	4	10	15	20	30	38

Clothes sizes

Sometimes you will find sizes given using the English-language abbreviations **XS** (Extra Small), **S** (Small), **M** (Medium), **L** (Large) and **XL** (Extra Large).

• Women's clothes

Europe	36	38	40	42	44	etc
UK	8	10	12	14	16	

• Bras (cup sizes are the same)

Europe	70	75	80	85	90	etc
UK	32	34	36	38	40	

• Men's shirts (collar size)

Europe	36	38	41	43	etc
UK	14	15	16	17	

• Men's clothes

Europe	40	42	44	46	48	etc
UK	30	32	34	36	38	

Shoe sizes

• Women's shoes

Europe	37	38	39	40	42	etc
UK	4	5	6	7	8	

• Men's shoes

Europe	40	42	43	44	46	etc
UK	7	8	9	10	11	